Aglaja Veteranyi

**Warum
das Kind in der
Polenta kocht**

Aglaja Veteranyi

Warum das Kind in der Polenta kocht

Roman

Deutsche Verlags-Anstalt
Stuttgart

Die Autorin dankt dem literarischen Colloquium, Berlin
für seine Unterstützung.

Die Deutsche Bibliothek – CIP-Einheitsaufnahme

Veteranyi, Aglaja:
Warum das Kind in der Polenta kocht :
Roman / Aglaja Veteranyi. – 2. Aufl.
Stuttgart : Deutsche Verlags-Anstalt, 1999
ISBN 3-421-05216-6

2. Auflage Oktober 1999
© 1999 Deutsche Verlags-Anstalt GmbH, Stuttgart
Alle Rechte vorbehalten
Satz: Bembo und Optima (QuarkXpress) im Verlag
Druck und Bindearbeit: Friedrich Pustet, Regensburg
Diese Ausgabe wurde auf chlor- und säurefrei gebleichtem,
alterungsbeständigem Papier gedruckt.
Printed in Germany
ISBN 3-421-05216-6

Für Hannes Becher

1

1

Ich stelle mir den Himmel vor.
Er ist so groß, daß ich sofort einschlafe, um mich zu
beruhigen.
Beim Aufwachen weiß ich, daß Gott etwas kleiner ist
als der Himmel. Sonst würden wir beim Beten vor
Schreck dauernd einschlafen.
Spricht Gott fremde Sprachen?
Kann er auch Ausländer verstehen?
Oder sitzen die Engel in kleinen, gläsernen Kabinen
und machen Übersetzungen?

UND GIBT ES TATSÄCHLICH EINEN ZIR-
KUS IM HIMMEL?

Mutter sagt, ja.
Vater lacht, er hat schlechte Erfahrungen gemacht
mit Gott.
Wenn Gott Gott wäre, würde er runterkommen und
uns helfen, sagt er.
Aber warum sollte er runterkommen, wenn wir später eh zu ihm reisen?
Männer glauben sowieso weniger an Gott als Frau-
en und Kinder, wegen der Konkurrenz. Mein Vater
will nicht, daß Gott auch mein Vater ist.

Hier ist jedes Land im Ausland.

Der Zirkus ist immer im Ausland. Aber im Wohnwagen ist das Zuhause. Ich öffne die Tür vom Wohnwagen so wenig wie möglich, damit das Zuhause nicht verdampft.

Die gerösteten Auberginen meiner Mutter riechen überall wie zu Hause, egal, in welchem Land wir sind. Meine Mutter sagt, daß wir im Ausland viel mehr von unserem Land haben, weil das ganze Essen unseres Landes ins Ausland verkauft wird.

WÄREN WIR ZU HAUSE, WÜRDE DANN ALLES WIE IM AUSLAND RIECHEN?

Mein Land kenne ich nur vom Riechen. Es riecht wie das Essen meiner Mutter.

Mein Vater sagt, an den Geruch seines Landes erinnert man sich überall, man erkennt ihn aber nur, wenn man weit weg ist.

WIE RIECHT GOTT?

Das Essen meiner Mutter riecht zwar auf der ganzen Welt gleich, es schmeckt aber im Ausland anders, wegen der Sehnsucht.

Außerdem leben wir hier wie reiche Leute, nach dem Essen können wir die Suppenknochen mit gutem Gewissen wegwerfen, während sie zu Hause für die nächste Suppe aufbewahrt werden müssen.

Meine Cousine Anika muß zu Hause vor dem Brotladen die ganze Nacht Schlange stehen, die Leute stehen so nah beieinander, daß sie beim Warten schlafen können.

DAS SCHLANGESTEHEN IST ZU HAUSE EIN BERUF.

Onkel Neagu und seine Söhne warten abwechslungsweise Tag und Nacht, und kurz vor dem Laden verkaufen sie ihre guten Plätze an andere, die es sich leisten können, keine Geduld zum Warten zu haben. Dann fangen sie mit dem Warten wieder von hinten an.

Im Ausland kann man sich das Warten ersparen.

Hier braucht man fürs Einkaufen keine Zeit, nur Geld.

Auf dem Markt muß man fast nie anstehen, im Gegenteil, sie behandeln einen wie eine wichtige Person, sagen sogar danke, wenn man was kauft.

Die Leute hier haben gute Zähne, weil sie jederzeit frisches Fleisch kaufen können.

Zu Hause haben schon die Kinder faule Zähne, weil der Körper alle Vitamine raussaugt.

In jeder neuen Stadt gehen meine Mutter und ich zuerst zum Markt und kaufen viel frisches Fleisch und Eier.

Beim Fischstand schaue ich den lebendigen Fischen zu, aber meine Mutter kauft fast nie Fisch, weil ich mich davor ekle. Nur selten kauft sie einen für sich und macht daraus Fischsuppe. Beim Essen fürchte ich mich dann immer vor dem Augenblick, wenn sie den Fischkopf in die Finger nimmt und ihn aussaugt. Jedesmal muß ich hinschauen, obwohl mir dabei schlecht wird.

ICH ESSE AM LIEBSTEN
Polenta mit Salz und Butter.
Hühnersuppe.
Zuckerwatte.
Gebratenes Knoblauchhuhn.
Butter.
Schwarzbrot mit Tomaten, Zwiebeln und Sonnenblumenöl.
Bouletten.
Crêpe mit Konfitüre.
Schweinefleisch in Knoblauchsülze.
Tomatenhuhn mit Kartoffelpüree und gebratenen Zwiebeln.

Weiße Schokolade ohne Nüsse.
Milchreis mit Rosinen und Zimt.
Auberginensalat mit Mayonnaise.
Schmalz mit Speckwürfeln.
Gefüllte Paprika, Sauerrahm und Polenta.
Ungarische Salami.
Gebratene Äpfel im Teig.
Schweinefleisch mit Sauerkraut.
Blutwurst.
Grießkuchen für die Toten mit Smartiesdekoration.
Trauben mit Weißbrot.
Gurke mit Salz.
Knoblauchwurst.
Warme Polenta mit kalter Milch.
Fleisch in Weinblätter gerollt.
Schleckstangen.
Gulasch mit rohen Zwiebeln.
Polenta mit Ziegenkäse.
Weißbrot mit Butter und Zucker.
Gebratene Mandeln.
Kaugummi mit Überraschung.

Die rohe Zwiebel schmeckt mir am besten, wenn ich sie mit der Faust zerdrücke. Dann spickt das Herz raus.

Orangen mag ich nicht, obwohl es sie in meinem Land nur zu Weihnachten gibt.

Mein Vater ißt am liebsten Rühreier mit Tomaten drin.

DAS AUSLAND VERÄNDERT UNS NICHT.
IN ALLEN LÄNDERN ESSEN WIR MIT DEM
MUND.

In der Morgendämmerung steht meine Mutter auf und beginnt zu kochen, rupft das Huhn und hält es über die offene Gasflamme. Meine Mutter kauft am liebsten lebendige Hühner, weil sie am frischesten sind.

Im Hotel schlachtet sie das Huhn in der Badewanne.

BEIM SCHLACHTEN KREISCHEN DIE HÜH-NER INTERNATIONAL, WIR VERSTEHEN SIE ÜBERALL.

Schlachten im Hotel ist verboten, wir drehen das Radio auf, öffnen das Fenster und machen Lärm. Ich will das Huhn vorher nicht sehen, sonst will ich es lebendig behalten. Was nicht in die Suppe kommt, geht ins Klo. Ich fürchte mich vor dem Klo, nachts pinkle ich ins Lavabo, da kommen die toten Hühner nicht wieder rauf.

Wir wohnen immer woanders.

Manchmal ist der Wohnwagen so klein, daß wir fast nicht aneinander vorbeikommen.

Dann gibt uns der Zirkus einen großen Wohnwagen mit Toilette.

Oder die Hotelzimmer sind wie feuchte Löcher voller Ungeziefer.

Aber manchmal wohnen wir in Luxushotels mit Kühlschrank im Zimmer und Fernsehen.

Einmal wohnten wir in einem Haus, in dem Eidechsen über die Wände huschten. Wir stellten die Betten in die Mitte des Wohnzimmers, damit die Viecher nicht unter die Decke kriechen konnten.

Und als meine Mutter am Gartentor stand, schlich ihr eine Schlange über den Fuß.

WIR DÜRFEN NICHTS LIEBGEWINNEN.

Ich bin es gewohnt, mich überall so einzurichten, daß ich mich wohlfühle.

Dazu muß ich nur mein blaues Tuch auf einen Stuhl legen.

Das ist das Meer.

Neben dem Bett habe ich immer das Meer.

Ich muß nur aus dem Bett steigen, und schon kann ich schwimmen.

In meinem Meer muß man nicht schwimmen können, um zu schwimmen.

Nachts decke ich das Meer mit dem geblümten Morgenmantel meiner Mutter zu, damit mich die Haifische nicht packen, wenn ich pinkeln muß.

Eines Tages werden wir ein großes Haus mit Luxus haben, mit Schwimmbad im Wohnzimmer und Sophia Loren, die bei uns ein- und ausgeht.

Ich möchten ein Zimmer voller Schränke, in denen ich meine Kleider und alle meine Sachen aufbewahren kann.

Mein Vater sammelt echte Ölbilder mit Pferden und meine Mutter teures Porzellangeschirr, das wir aber nie benützen, weil es sich durch das Ein- und Auspacken abnützt und zerbricht.

Unser Besitz ist in einem großen Koffer mit viel Zeitungspapier eingepackt.

AUS ALLEN LÄNDERN SAMMELN WIR SCHÖNE SACHEN FÜR UNSER GROSSES HAUS.

Meine Tante sammelt Plüschtiere, die ihre Liebhaber auf dem Jahrmarkt abschießen.

2

MEINE MUTTER IST DIE FRAU MIT DEN
HAAREN AUS STAHL.

Sie hängt in der Kuppel an den Haaren und jongliert
mit Bällen, Ringen und Feuerfackeln.
Wenn ich größer werde und schlank, muß ich auch
an den Haaren hängen. Ich darf mir die Haare nur
vorsichtig kämmen, meine Mutter sagt, die Haare
sind das Wichtigste an einer Frau.

MEIN VATER SAGT, DAS WICHTIGSTE SIND
DIE HÜFTEN.

Ich stelle mir eine Frau vor mit so großen Hüften
wie das Zirkuszelt.
Das verträgt sich aber nicht mit dem Hängen.

Ich werde nie an den Haaren hängen, ich will nicht. Ich zupfe mir büschelweise die Haare vom Kopf, wie die Federn vom Suppenhuhn.

Eine Frau ohne Haare findet keinen Mann, sagt meine Mutter.

Ich will keinen Mann, ich will lieber so sein wie meine Schwester, sie ist mutig und macht immer Probleme.

Meine Schwester ist nur die Tochter meines Vaters.

Sie ißt alles, weil meine Mutter ihr das Leben gerettet hat, als sie rachitisch und voller Läuse war.

Obwohl sie eine Fremde ist, liebe ich sie wie meine Schwester. Ihre Mutter ist die Stieftochter meines Vaters. Sie und ihre Mutter, die Großmutter meiner Schwester und die frühere Frau meines Vaters, leben in einem Spital, weil sie verrückt geworden sind.

Meine Schwester ist auch verrückt, sagt meine Mutter, weil mein Vater sie wie eine Frau liebt.

Ich muß aufpassen, daß ich nicht auch verrückt werde, deshalb nimmt mich meine Mutter überall mit.

MEIN VATER WILL SOWIESO NUR MEINE SCHWESTER.

Meine Schwester kann alles viel besser als ich. Obwohl sie nur ein paar Jahre älter ist, hat sie schon ein zerquetschtes Knie. Mein Vater ist ihr mit einem Traktor ins Bein gefahren, damit sie keinen Mann findet und immer bei ihm bleibt.

Ich werde nicht zum Zirkus dazugehören, bevor ich mich nicht auch richtig verletzt habe. Das geht aber nicht, immer kommt mir meine Mutter in die Quere, ich kann nicht einmal aufs Seil steigen, ohne daß sie fast in Ohnmacht fällt.

Meine Mutter tut oft so, als würde bald etwas Schreckliches passieren, selbst wenn jemand in ihrer Nähe plötzlich nur lacht. Vor allem Frauen.

Frauen sind eifersüchtig und berechnend, sie haben nur böse Spiele im Kopf, sagt sie.

ICH WAR NUR JEMAND, BEVOR ICH GE-BOREN WURDE.

Vor meiner Geburt war ich schon acht Monate lang Seiltänzerin auf dem Kopf. Ich lag in meiner Mutter, sie machte den Spagat auf dem hohen Seil, und ich schaute runter oder drückte mich aufs Seil.

Einmal konnte sie vom Spagat nicht mehr hochkommen, und ich bin fast rausgefallen.

Kurz danach kam ich zur Welt.

Bei meiner Geburt war ich sehr schön, meine Mutter befürchtete, daß man mich stehlen und ihr ein fremdes Kind in die Wiege legen würde.

Ich kam ganz kahl zur Welt.

Nachdem ich gebadet worden war, schminkte mir meine Mutter mit ihrem schwarzen Stift dicke Augenbrauen.

Meine Tante zählte nach, ob ich alle Finger hatte, und die Hebamme band mir meine krummen Beine mit einem Verband zusammen.

Mein Vater war nicht dabei.

Meine Mutter taufte mich wie die Hebamme, weil sie aus dem Ausland kam.

Und meine Tante gab mir als zweiten Namen noch den eines Filmstars, damit ich auch berümt werde.

Ich heiße aber nicht wie Sophia Loren.

ICH WARTE DEN GANZEN TAG AUF DIE
NACHT. WENN MEINE MUTTER NICHT
ABSTÜRZT VON DER KUPPEL, ESSEN WIR
NACH DER VORSTELLUNG GEMEINSAM
HÜHNERSUPPE.

Meine Mutter hat lange, schlanke Beine, auf dem Foto sieht sie japanisch aus, mit glattem, schwarzem Haar und Fransen. Wir gleichen uns nicht.

Ich gleiche meinem Vater.

Er ist gar nicht dein Vater, dieser Bandit, sagt meine Mutter manchmal wütend, wir brauchen ihn nicht!

WARUM IST MEIN VATER NICHT MEIN VATER?

Meine Mutter gibt sich Männern gegenüber manchmal für meine Schwester aus. Sie verdreht dabei die Augen und zieht die Wörter in die Länge, als hätte sie plötzlich Honig im Mund. Dabei mag sie keinen Honig, am liebsten ißt sie Schwarzbrot mit Butter und Salz. Und trinkt Weißwein. Trinkt soviel Weißwein, wie ich Zuckerwatte esse. Würden wir statt dessen das Geld sparen, könnten wir uns damit unser großes Haus mit Hühnern kaufen.

Wenn sich meine Mutter für meine Schwester ausgibt, riecht sie plötzlich ganz fremd. Sie darf mich dann nicht mehr anfassen. Im Hotel muß sie auf dem Boden schlafen, ich will das Bett mit ihr nicht teilen.

MEINE MUTTER IST ANDERS ALS ANDE-
RE, WEIL SIE AN DEN HAAREN HÄNGT
UND DAS ZIEHT DEN KOPF IN DIE LÄNGE
UND MACHT DAS GEHIRN LANG.

Zu Hause dürfen die Leute nicht einmal im Traum frei denken. Wenn sie dann laut sprechen und von den Spionen gehört werden, werden sie nach Sibirien gebracht.

Zwischen den Wänden haben die Spione Geheimgänge.

Die Fremden wollen uns aber auch schaden.
Ich darf den Wohnwagen nicht alleine verlassen.
Ich darf mit den anderen Kindern nicht spielen.
Meine Mutter traut niemandem.
Ich muß das auch lernen.

Bevor eine Frau schwanger wird, kriegt sie viel Durst und trinkt so viel Wasser, bis daraus ein Kind wird.

Wenn das Kind ein Zeichen gibt, geht bei der Mutter unten alles zu, damit das Kind nicht aus dem Bauch rausfällt.

Im Bauch ist es wie in einem Haus, mit einem Bett oder einer Badewanne mit warmem Wasser.

Das Kind ißt, was die Mutter runterschickt.

Alles, was die Mutter kann, kann das Kind auch, nur nicht schwanger werden.

ES IST VERBOTEN, KINDER ZU KRIEGEN OHNE MANN UND BEVOR MAN GEBOREN IST.

Im Bauch der Mutter gibt es aber keinen Mann, den man heiraten könnte. Und wenn, dann ist das ein Verwandter. Verwandte heiratet man nicht, weil sonst die Kinder mit verklebten Beinen auf die Welt kommen. Dann merken die Leute, daß die Eltern miteinander verwandt sind und nicht verheiratet.

Aber vielleicht ist das hier im Ausland anders.

Wenn die Mutter weint, gibt es eine Überschwemmung im Bauch, weil das Kind auch weint.

DAS KIND GEHÖRT MEHR DER MUTTER
ALS DEM VATER, WEIL SIE DIE MUTTER
IST.

Meine Schwester ist schön wie ein Mann, sie prügelt sich mit allen Kindern. Sie ist eine Zigeunerin.

ICH WILL AUCH EINE ZIGEUNERIN WER-DEN.

Während meine Mutter in der Kuppel an den Haaren hängt, erzählt mir meine Schwester DAS MÄRCHEN VOM KIND, DAS IN DER POLENTA KOCHT, um mich zu beruhigen.
Wenn ich mir vorstelle, wie das Kind in der Polenta kocht und wie weh das tut, muß ich nicht immer daran denken, daß meine Mutter von oben abstürzen könnte, sagt sie.
Aber es nützt nichts. Ich muß immer an den Tod meiner Mutter denken, um von ihm nicht überrascht zu werden. Ich sehe, wie sie sich mit den Feuerfackeln die Haare in Brand steckt, wie sie brennend auf den Boden stürzt. Und wenn ich mich über sie beuge, zerfällt ihr Gesicht zu Asche.

Ich schreie nicht.
Ich habe meinen Mund weggeworfen.

WENN MAN VON HERAUSFALLENDEN
ZÄHNEN TRÄUMT, STIRBT JEMAND.

Das Abbauen des Zirkuszeltes ist überall gleich, wie ein großes Begräbnis, immer in der Nacht, nach der letzten Vorstellung in einer Stadt.

Wenn der Zirkuszaun entfernt wird, kommen manchmal Fremde zu unserem Wohnwagen und drücken ihr Gesicht an die Fensterscheibe.

Ich fühle mich wie die Fische auf dem Markt.

Wohnwagen und Käfige werden mit Blinklicht wie ein Trauerzug zum Bahnhof gefahren und auf den Zug verladen.

Bei mir löst sich alles auf, und es geht ein Wind durch mich hindurch.

Am liebsten will ich so sein wie die Leute draußen. Dort können alle lesen und wissen Bescheid, sie haben eine Seele aus Weißmehl.

Am liebsten will ich tot sein. Dann weinen alle bei meinem Begräbnis und machen sich Vorwürfe.

Traurigkeit macht alt.

Ich bin älter als die Kinder im Ausland.

In Rumänien werden die Kinder alt geboren, weil sie schon im Bauch der Mutter arm sind und sich die Sorgen der Eltern anhören müssen.

Hier leben wir wie im Paradies. Ich werde deswegen aber trotzdem nicht jünger.

Zu Hause traten meine Eltern im Staatszirkus auf. Sie waren sehr berühmt.

DER DIKTATOR HAT RUMÄNIEN MIT STACHELDRAHT UMZINGELT.

Mein Vater, meine Mutter, meine Tante, meine Schwester und ich sind mit dem Flugzeug ins Ausland geflohen, nachdem mein Vater das Geld aus der Zirkuskasse gestohlen hatte.

Meine Mutter ging mit dem gestohlenen Geld ins HOTEL INTERNATIONAL, machte schöne Augen und kaufte Dollar.

Die Toten leben besser als die Lebenden, im Himmel braucht man keinen Paß, um zu reisen, sagt meine Mutter.

Meine Tante hat ihren Mann zurückgelassen. Sie spricht fast nie über ihn.

Um so mehr spricht meine Mutter von ihren vielen Geschwistern, sie weint dabei und schlägt sich auf den Kopf. Das sieht wie ein Ballett aus.

Meine Tante weint nicht, sie ist älter als meine Mutter.

MEINE TANTE IST WIE DER SCHATTEN MEINER MUTTER.

Aber auf jedem Foto sieht sie anders aus, als sei sie ein Teil der Landschaft. Sie läßt sich immer mit Blumen, Flaschen, Tellern, Teddybären, Radios, oder was gerade in ihrer Nähe ist, fotografieren.

Wenn sie mit meinem Vater auftritt, kleidet sie sich als Mann mit Schnurrbart. Oft schminkt sie sich sehr auffällig, klebt sich falsche Wimpern an, die bis zu den Augenbrauen reichen, und steckt sich Watte in den Büstenhalter, um den Busen zu heben.

Sie hat immer einen anderen Mann, von dem sie sich Geschenke machen läßt.

Wenn wir das Hotelzimmer teilen, verbringt sie manchmal die Nacht mit jemandem im Bade-zimmer.

Aber bei meiner Tante macht mir das nichts aus.

Wir sind gute Menschen, sagt meine Mutter, weil wir orthodox sind.

Was ist orthodox?

Das ist, wenn man an Gott glaubt, sagt sie.

Bei den Orthodoxen wird vor allem gesungen, gegessen und gebetet. Aber ich war noch nie dort.

Meine Tante macht immer Grießkuchen für die Toten mit Smartiesdekoration. Wir essen ihn aber selber, weil keine orthodoxe Kirche in der Nähe ist, um ihn zu spenden.

Beim Kuchenessen weint meine Mutter und zählt die Toten unserer Familie auf.

Meine Tante zwinkert mir zu: Deine Mutter hätte Opernsängerin werden sollen.

DER DIKTATOR HAT GOTT VERBOTEN.

Aber im Ausland dürfen wir gläubig sein, obwohl es hier fast keine orthodoxen Kirchen gibt.

Ich bete jede Nacht das Gebet, das ich von meiner Mutter gelernt habe.

Zu Hause dürfen die Kinder weder beten noch Gott zeichnen. Auf den Zeichnungen muß immer der Diktator und seine Familie sein. In jedem Zimmer hängt sein Bild, damit alle Kinder wissen, wie er aussieht.

Seine Frau hat eine halbe Stadt voller Schuhe, sie benutzt Häuser wie Schränke.

Der Diktator ist von Beruf Schuhmacher, seine Schuldiplome hat er gekauft.

Er kann weder schreiben noch lesen, sagt meine Mutter, er ist dümmer als eine Wand.

Aber eine Wand tötet nicht, sagt mein Vater.

Die Menschen suchen das Glück wie unser Blut das Herz. Wenn kein Blut mehr zum Herzen fließt, trocknet der Mensch aus, sagt mein Vater.
Das Ausland ist das Herz. Und wir das Blut.

Und unsere Familie zu Hause?

3

Ich bin sehr sauber.

Auf dem Gaskocher muß mir meine Mutter jeden Tag Wasser wärmen, damit ich mich waschen kann.

Das habe ich von meiner Tante.

Rumänische Frauen sind sehr temperamentvoll und sauber, sagt meine Mutter.

Sie wäscht sich aber nicht so gerne wie meine Tante und ich. Sie badet lieber. Meistens haben wir keine Badewanne.

Wenn man jeden Tag naß wird, kriegt man den Durchzug und wird verrückt, sagt meine Mutter.

Sie muß sehr aufpassen, weil sie die Haare vor jedem Auftritt befeuchten muß.

Durch die Nässe werden sie stärker, trockene Haare reißen ab. Das darf aber niemand wissen.

Vor der Vorstellung muß ich immer still sein.

Eine Stunde vor dem Auftritt müssen wir mit den Vorbereitungen beginnen:

1. Wasser kochen. Meine Mutter wäscht sich die Haare nur mit Regenwasser. Wir haben immer viel Regenwasservorrat.
2. Meine Mutter beugt sich über eine Schüssel, und meine Tante gießt warmes Wasser auf ihren Kopf.
3. Meine Mutter kämmt sich die Haare mit gesenktem Kopf, bis sie ganz gleichmäßig verteilt sind.

Jede Unregelmässigkeit reißt büschelweise Haare aus. Das darf unter keinen Umständen passieren!

4. Die Haare werden von meinem Vater mit einem feuchten Lederlappen umwickelt und von meiner Tante mit einem runden Gummiband zusammengebunden.

5. Meine Mutter richtet sich auf.

Alle weiteren Schritte werden abwechslungsweise von meinem Vater und meiner Tante gemacht.
Mehr darf ich aber nicht sagen.

Meine Schwester paßt draußen auf, daß sich niemand dem Wohnwagen nähert, um uns zu beobachten.
Und ich muß still in der Nähe meiner Mutter bleiben, damit sie sich nicht um mich sorgt.

SORGEN SCHWÄCHEN DIE HAARE.

Nach dem Auftritt wird das Haar langsam wieder ausgewickelt und die Kopfhaut mit einem Vitaminsaft eingerieben. Das mache ich.

Zum Schluß senkt meine Mutter den Kopf und kämmt sich.

Zum Kämmen benützt sie immer einen speziellen Kamm aus der Schweiz.

Danach zählt sie die ausgefallenen Haare.

Das ist sehr wichtig.

Sie geben darüber Auskunft, wie die Nummer verlaufen ist, ob meine Mutter genügend Vitamine hat und ob sie nicht zu dick ist.

AN DEN AUSGEFALLENEN HAAREN KÖNNEN WIR DIE GEFAHR ABSCHÄTZEN.

Niemand darf wissen, wie lang das Haar meiner Mutter ist, sonst kopieren sie uns die Nummer, und dann haben wir keine Arbeit mehr und müssen zurück in unser Land. Meine Mutter trägt deshalb immer ein Kopftuch oder eine Perücke.

Wir proben im Wald statt im Zirkus.

Meine Mutter hängt an den Haaren an einem Baum, meine Tante wirft ihr die Keulen zu und macht eine Pirouette. Manchmal steht meine Schwester auf einem Bein auf dem Kopf meines Vater und jongliert mit meiner Mutter, während ich am Boden den Spagat übe. Ich bin so beweglich, daß ich als Schlangenfrau auftreten könnte. Später will ich eine Nummer für mich alleine. Aber meine Mutter will das nicht. Wir müssen immer alle zusammen auftreten, damit der Zirkusdirektor für uns alle die Reise und das Hotel bezahlt.

Auch für unseren Hund Boxi muß er die Reise bezahlen, er tritt mit meinem Vater auf, trägt ein Glitzerkleidchen, raucht und pinkelt in den Zylinder.

Mein Vater wird Boxi das Singen beibringen.

Die Schlußparade im Zirkus mit Fanfarenmusik ist fast so schlimm wie meine Blinddarmoperation. In jedem Land ist sie gleich. Alle Artisten stehen in einer Reihe oder im Kreis und winken. Das ist zum Schämen!

Wenn der Zirkusdirektor nicht darauf besteht, daß ich am Schluß auch erscheine, schließe ich mich im Wohnwagen ein und drehe das Radio auf, um die Trommelschläge nicht zu hören.

MEIN VATER IST KLEIN WIE EIN STUHL.

Mein Vater ist so berühmt wie der Präsident von Amerika, er ist Clown und Akrobat und Bandit.

Vor der Vorstellung steht er immer an der Zirkusbar und spricht mit wichtigen Leuten und macht Geschäfte.

Er klebt Fotos von uns auf den Bildschirm.

Dann fotografiert er den Fernseher.

Das sind wir, sagt er zu den wichtigen Leuten, wir waren schon oft im Fernsehen!

Manchmal schlägt er sich mit anderen Männern.

Oder er schlägt meine Mutter und zerschnipselt die Kostüme mit dem Rasiermesser und sagt: Heute lasse ich dich von der Kuppel runterfallen!

MEIN VATER IST SO ALT WIE MEIN GROSS-VATER, ABER ICH GLAUBE NICHT, DASS ER DAS MERKT.

Seit wir von zu Hause weg sind, ist mein Vater auch Filmdirektor geworden. Er geht immer mit einer Kamera herum und filmt die Gegend. Dafür gibt er fast unser ganzes Geld aus.

Uns hat er auch schon gefilmt und auch meine Puppen.

Einmal mußte meine Mutter meinen Vater aus Eifersucht erschießen, die Hände vors Gesicht schlagen und HILFE! NEIN! HILFE! rufen.

Das sah sehr gut aus, aber mein Vater bekam trotzdem eine Wut, weil meine Mutter mittendrin lachte.

In Afrika mietete mein Vater extra einige nackte Leute aus dem Urwald, die mich entführen mußten. In einem anderen Film legte er mir eine Gummischlange auf die Brust, ich mußte dann schreien, er kam aus dem Gebüsch hervor, tötete die Schlange und rettete mich.

Einmal wollte er sich aus dem Fenster eines fahrenden Zuges hängen lassen, an einem Betttuch, das er am Gepäckträger angebunden hatte. Als meine Mutter sich weigerte, ihn zu filmen, gab's eine Schlägerei. Mein Vater ging auf meine Mutter los. Sie schrie. Ich schlug auf meinen Vater ein. Er drehte sich um. Peng!

Mein Gesicht quoll wie ein Brotteig auf, und meine Mutter mußte mich in der nächsten Stadt zum Arzt bringen.

Bei meinem Vater gibt's oft eine Schlägerei. In dem Land, aus dem er kommt, ist das üblich.

In den Filmen meines Vaters spricht er manchmal seine Muttersprache, meine Mutter und ich haben meist stumme Rollen. Oder wir müssen HILFE! rufen.

In Afrika wohnten wir ein Jahr lang im Zug.

Ich teilte das Abteil mit meiner Tante und meiner Schwester.

Meine Tante hängte überall Fotos auf von Sophia Loren und anderen schönen Frauen und Männern.

Alle sehr berühmt.

Ich werde auch berühmt.

IM AUSLAND KANN MAN BERÜHMT WERDEN, OHNE DER DIKTATORPARTEI ANZUGEHÖREN.

Tag und Nacht hörten wir Lieder von Elvis Presley. Er hing auch überall im Abteil.

Meine Tante ist verliebt in Elvis Presley. Sie kriegt rote Wangen, wenn er singt.

Obwohl Afrika im Ausland ist, gibt es dort genauso arme Leute wie in Rumänien.

Sie sind schwarz.

In Afrika müssen die Armen im Zirkus separat sitzen und trotzdem den ganzen Eintritt bezahlen.

Die Armen mußten für uns den Zug und die Toiletten putzen, Wasser nachfüllen und den Zirkus auf- und abbauen.

Der Zirkusdirektor verbot uns, ihnen dafür Geld oder Geschenke zu geben.

Mit ihnen zu sprechen war auch verboten.

Als jemand es doch tat, wurden mehrere Arme blutig zusammengeschlagen.

Sie wehrten sich nicht.

Niemand mischte sich ein.

Der Zirkusdirektor wiederholte: Geschenke nicht gut!

Wir wurden nicht geschlagen.

Daran merkte ich, daß es uns hier besser geht als zu Hause.

Trotzdem wurde meine Mutter kurz danach ins Spital gebracht. Sie hatte Steine in der Galle.

Mein Vater hat eine andere Muttersprache als wir, er war auch in unserem Land ein Fremder.

Er gehört zu den anderen, sagt meine Mutter.

Im Ausland sind wir aber keine Fremden untereinander, obwohl mein Vater hier fast in jedem Satz eine andere Sprache spricht, ich glaube, er versteht manchmal selber nicht, was er sagt.

Seine Muttersprache klingt wie Speck mit Paprika und Sahne. Sie gefällt mir, aber er darf sie mir nicht beibringen.

Wenn er mit uns reden will, soll er unsere Sprache sprechen, sagt meine Mutter.

Mein Vater stammt aus einem Vorort von Rumänien, ich glaube, daß er deshalb so zornig ist, weil wir aus der Hauptstadt kommen.

Meine Tante nennt ihn DER ALTE.

NEIN, MEIN VATER IST NICHT TRAURIG.
ER IST CLOWN, JA.

4

Fragt mich jemand nach meinem Namen, muß ich sagen: Fragen Sie meine Mutter.

Wenn man weiß, wer wir sind, werden wir entführt und zurückgeschickt, meine Eltern und meine Tante werden getötet, meine Schwester und ich werden verhungern, und alle lachen dann über uns.

In Rumänien wurden meine Eltern nach unserer Flucht zum Tode verurteilt.

Im Hotel schiebt mein Vater den Schrank vor die Tür, den Sessel vor den Schrank, das Bett vor den Sessel. Manchmal schlafen wir alle im selben Bett. Gott sei Dank gibt's nicht in jedem Hotelzimmer noch eine Balkontür zu verriegeln!

Meine Puppen dürfen auch nicht allein auf die Straße.

Wenn wir uns hier so verstecken müssen, weiß ich nicht, warum wir weggegangen sind von zu Hause. Wir dürfen nie wieder zurück, das ist verboten.

MEINE GROSSMUTTER IST ZU HAUSE VOR KUMMER UND SEHNSUCHT GESTORBEN.

Meine Mutter sagt, hier ist alles viel besser, und weint. Ich denke nur daran, daß ich wieder zurück-will. Die anderen, die wir zurückgelassen haben, werden von uns wollen, daß wir sie auch hierher-bringen, wenn wir reich sind. Sie lieben uns alle.

Immer, wenn wir jemanden aus der Gegend unseres Landes treffen, beginnt meine Mutter zu flüstern. Das sind alles Spione, sagt sie, nur wer selber geflohen ist, ist kein Spion.

Mit denen spricht sie über Onkel Petru.

Mein Bruder ist ein großer Künstler, wie Picasso, er ist homosexuell, sauber, ein Genie!

Als erstes will sie Onkel Petru aus dem Gefängnis kaufen.

Hier kann man alles kaufen, sagt mein Vater, wir werden bald so reich sein, daß uns alle fürchten.

Seit unserer Flucht wird Onkel Petru im Gefängnis gefoltert. Und Onkel Nicu wurde vor seiner Wohnungstür erschlagen.

Als meine Mutter davon erfuhr, schrie sie wie in einem rumänischen Klagelied.

Erst als mein Vater im Gang des Hotels alle Fensterscheiben zerschlug und die Polizei kam, hörte sie damit auf.

Meine Mutter wird jemand finden, der ein Buch mit unserer Lebensgeschichte schreibt.

EISENTÜR UND TÜR ZUR FREIHEIT wird es heißen.

MEINE PUPPEN SIND GANZ DÜNN GE-
WORDEN. SIE VERSTEHEN DIE FREM-
DEN SPRACHEN NICHT.

Mein Vater spricht mit seinem Frack wie mit einem Menschen.

Niemand kennt mich so gut wie mein Frack, sagt er. Er ist sein Glücksbringer, mit dem er schon im Zirkus auftrat, noch bevor er meine Mutter kannte, er wird sich nie von ihm trennen. Diktatoren und wichtige Leute haben ihn in diesem Frack gesehen. Nach seinem Tod will er ihn dem Zirkusmuseum schenken, damit man sich auch später an den großen TANDARICA erinnern soll.
Dieser Frack hat die Welt gesehen, sagt er, er hat viel zu erzählen.
Was, frage ich.
Mein Vater verbrennt Zeitungspapier, schminkt sich mit der Asche dicke Augenbrauen und einen Schnurrbart, zieht den Frack an und macht ein finsteres Gesicht:

Ein gebürtiger Ausländer hatte seine Schuhe verloren. Er hatte sie in seinem Haus liegenlassen und das Haus in einen Fluß geworfen.
Oder hatte sich das Haus selbst hineingeworfen?
Der gebürtige Ausländer ging von Fluß zu Fluß.
Einmal fand er einen alten Mann unter Wasser mit einem Schild um den Hals: HIER HIMMEL
Der Ausländer fragte: Wie, Himmel?
Der Alte zuckte die Achseln und zeigte auf das Schild.

Das Haus tauchte dann wieder auf, aber an einem ganz anderen Ort.

Und wahrscheinlich war es ein anderes, denn es konnte sich an die Schuhe des Ausländers nicht erinnern.

Später verlor das Haus seine Tür.

Hat der Frack diese Geschichte erfunden, frage ich.
Nein, sagt mein Vater, das ist unsere Geschichte.

UNSERE GESCHICHTE KLINGT BEI MEINER MUTTER JEDEN TAG ANDERS.

Wir sind orthodox, wir sind jüdisch, wir sind international!

Mein Großvater hatte eine Zirkusarena, er war Kaufmann, Kapitän, zog von Land zu Land, verließ nie sein Dorf und war Lokomotivführer. Er war Grieche, Rumäne, Bauer, Türke, Jude, Adliger, Zigeuner, Orthodoxer.

Meine Mutter trat schon als Kind im Zirkus auf, um ihre ganze Familie zu ernähren.

Ein andermal brennt sie gegen den Willen ihrer Eltern mit dem Zirkus und mit meinem Vater durch.

Das kostet meine Großmutter das Leben, obwohl sie in einer anderen Geschichte wegen unserer Flucht stirbt.

In allen Geschichten ist mein Großvater schon tot.

Die Ärzte öffneten ihm den Magen, und er starb an der Luft, die dabei in seine Lunge drang.

Er ist an Krebs gestorben, sagt mein Vater.

Meine Mutter bricht in Tränen aus: Wer hat dich gefragt? War er dein Vater, daß du das so genau weißt? Er war ein guter Mensch! Wie soll er an Krebs gestorben sein!

In allen Geschichten ist meine Grossmutter EIN ENGEL.
Und meine Mutter ist immer ihr Lieblingskind.

WENN MEINE MUTTER AN DEN HAAREN
HÄNGT, LÄUFT SIE IN DER LUFT.

Meine Tante liest mir jeden Tag die Zukunft im Kaffeesatz.
Ich werde berühmt werden und glücklich, sagt sie.
Sehr reich und mit vielen Männern, die ich auswählen kann. Und mit sehr vielen Kindern.

Meine Tante spricht mit den Toten.
In den fremden Städten gehen wir mit ihrem Liebhaber zum Friedhof und schauen uns Tote an.
Mit meiner Mutter gehe ich zum Fleischmarkt und mit meiner Tante zum Friedhof.
In der Leichenhalle erkundigt sie sich bei den Verwandten der Toten nach dem Todesgrund, gibt ihnen die Hand und spricht ihnen ihr Mitgefühl aus.
Sie kennt schon viele Todesgründe.
Jeder Mensch hat einen eigenen Grund zu sterben.
Es bringt den Toten Glück, wenn Fremde sie vor der Beerdigung besuchen, sagt meine Tante.

WIR SIND VIEL LÄNGER TOT ALS LEBEN-
DIG, DESWEGEN BRAUCHEN WIR ALS
TOTE VIEL MEHR GLÜCK.

Totsein ist wie schlafen.
Du legst den Körper aber nicht ins Bett, sondern in
die Erde.
Dann mußt du Gott begründen, warum du lieber tot
als lebendig sein willst.
Wenn du ihn nicht überzeugst, löscht er dir das Ge-
hirn aus, und du mußt mit dem Leben wieder von
vorne anfangen.
Usw.
Usw.
Usw.
Usw.
Usw.
Etc.

Ich gehe zwar nicht in die Schule, aber ich spreche fremde Sprachen und kenne viele Geschichten, das ist viel mehr als Schule. Meine Mutter sagt, ich muß nicht in die Schule, das Wichtigste weiß ich schon.

DAS WICHTIGSTE
Sich in acht nehmen vor den anderen.
Ihnen nicht die Wahrheit sagen, damit sich niemand über uns lustig machen kann.
Die Leute merken nicht, daß ich anders bin, ich erfinde immer neue Geschichten über uns, damit sie nicht glauben, wir sind niemand und haben nichts erlebt.
Wenn ich volljährig bin, werde ich Filmstar und dann kaufe ich meiner Mutter unser schönes Haus und einige Restaurants, und wenn die Grenzen unseres Landes geöffnet werden und unsere Landsleute ins Ausland fliehen können, werden wir ihnen gutes rumänisches Essen servieren.
Meine Mutter will später Wirtin werden.
Ich habe noch eine Patentante, die ist Wirtin in Deutschland, aber sie hat keine Kinder, weil sie mit einem reichen Mann verheiratet ist.
Je reicher die Leute sind, desto weniger Kinder wollen sie, sagt meine Mutter.

ICH WERDE SPÄTER AUCH EINEN REICHEN MANN HEIRATEN.

Oder zwei Männer, dann werde ich nie alleine sein.
Bei der Hochzeit werde ich sie unter dem Tisch anfassen, wo's verboten ist. Die Leute werden Kuchen essen und neidisch sein. Meine Männer werden mich lieben und abschlecken.
Außer dem Diktator und seinen Söhnen gibt's in Rumänien keine reichen Männer, meine Eltern haben gut daran getan zu fliehen, denn einen Diktatorsohn heirate ich nicht.

Wir haben einen Flüchtlingspaß.
An jeder Grenze werden wir anders behandelt als die richtigen Leute. Die Polizei läßt uns aussteigen und verschwindet mit unseren Papieren.
Meine Mutter gibt ihnen immer Geschenke, Schokolade, Zigaretten oder Cognac.
Und macht schöne Augen.
Wir sind aber trotzdem nie sicher, ob sie nicht die SECURITATE anrufen.

UNSER KÖNIG IST AUCH INS AUSLAND GE-
FLOHEN, WEIL ER IN RUMÄNIEN NICHT
MEHR REICH SEIN DURFTE.

Was heißt reich? Meine Familie zu Hause kann nicht einmal Wasser kochen, weil sie weder Wasser noch Gas hat.

Aber alle meine Cousinen haben viele Kinder.

Rumänische Frauen müssen viele Kinder gebären.

Wir schicken ihnen regelmäßig Kaffee und Seidenstrümpfe. Aber sie wollen immer Dollar.

Alle glauben, wir sind sehr reich. Haben die eine Ahnung! Als ob das so einfach wäre! Selbst hier muß man das Geld verdienen und gut aufpassen, wo man es hintut, mein Vater versteckt es jeden Tag woanders, damit es niemand entdeckt.

Meine Mutter trägt das Geld im Stiefel. Mit viel Geld will ich mir später einen chinesischen Diener kaufen, der immer wachbleibt, damit ich keine schlechten Träume mehr habe. Er wird Tschian-Tschian heißen und auf mich aufpassen, und ich werde keine Angst mehr haben. Und alle werden sich darüber wundern.

Ich habe großes Glück, wir sind immerhin schon so reich, daß ich Boxi nicht essen muß.

Wer in Rumänien einen Hund hat, läßt ihn entweder verhungern oder macht daraus Fleischsuppe, um selber nicht zu verhungern.

Ich will nicht wissen, was meine Familie dort alles essen muß!

Ich schäme mich, daß wir sie dort gelassen haben.

Alle kennen mich und lieben mich.

Ich bringe aber die Namen meiner Verwandten alle durcheinander.

5

Im Zirkus lächeln die Leute beim Sterben.
Ich werde nicht lächeln.
Lidia Giga, die Dompteuse, wurde von ihrem Löwen, den sie mit der Flasche aufgezogen hatte, zerfetzt.
Dem Kettenmann ist das brennende Seil durchgerissen, er fiel auf den Kopf.

OB MAN SCHON WÄHREND DES FALLENS VOR SCHRECK STIRBT?

Meine Schwester und mein Vater sind auch schon abgestürzt, sie von der Stange, die mein Vater auf der Stirn balancierte, und er vom Hochseil.
Sie sind aber nicht gestorben und haben weitergemacht.
Und wieso hat meine Mutter Angst vor dem Fliegen, wenn sie von Beruf an den Haaren hängt?
Vor einem Abflug betrinkt sie sich, bekreuzigt sich, bittet um Entschuldigung und sagt, daß wir abstürzen werden, weil ein Flugzeug wegen seines Gewichtes gar nicht fliegen kann.
Mein Vater betrinkt sich auch so, ohne Trinken steigt er gar nicht aufs Seil, weil ihm sonst das Gleichgewicht fehlt.

KEIN ZWEIFEL, ES GIBT EINEN GOTT,
DENN FAST ALLE ARTISTEN, OB LANDS-
LEUTE ODER FREMDE, BEKREUZIGEN
SICH VOR IHREM AUFTRITT. WAS HÄTTE
DAS FÜR EINEN SINN OHNE GOTT?

Ich werde nur im Film sterben. Wenn ich dann gestorben bin, geht das Licht aus, und ich werde wieder lebendig. Ich werde nie ganz sterben! Ich werde es im Leben länger als hundert Jahre aushalten.

Meine Mutter bekommt den dunklen Blick, wenn ich darüber rede.

Vom Tod zu reden bringt Unglück! sagt sie.

ABER WAS BRINGT DENN KEIN UNGLÜCK!

Fast alles, worüber wir reden, bringt Unglück.

Meine Mutter weint oft und sagt, sei froh, daß du mich noch hast, später wirst du merken, wie schlimm es ist, allein zu sein auf der Welt.

Da muß ich gar nicht auf später warten.

Ich darf meine Mutter nicht ärgern, sonst stürzt sie ab. Ich will nicht lebendig sein, wenn sie tot ist.

Jeden Tag könnte es passieren.

Ich schlafe in den Tag hinein, um die Angst vor ihrem Auftritt abzukürzen, denn wenn ich früh aufstehe, dauert es noch so lange, bis die Vorstellung beginnt.

Solange sie da oben hängt, ist sie nicht mehr meine Mutter, und ich stopfe mir Brot in die Ohren und in den Mund. Wenn sie runterfällt, will ich es nicht hören.

Ich habe mir abgewöhnt zu weinen, weil meine Mutter dann Angst kriegt und auch zu weinen anfängt. Dann muß ich sie trösten. Aber sie läßt sich nicht trösten. Sie weint so lange, bis ich ihr verspreche, daß es mir gut geht.

DAS SCHÖNSTE

Wenn wir nach der Vorstellung zusammen essen.

Wenn meine Mutter im Bett liegt und tief schläft.

Wenn sie in der Morgendämmerung leise aufsteht, mich zudeckt und zu kochen beginnt.

Der Geruch von verbrannten Hühnerfedern ist das Zuhause.

Dann schlafe ich ein.

AM SCHÖNSTEN WÄRE ES, WENN MEINE
MUTTER IMMER SCHLAFEN WÜRDE.

Ich weiß selber, warum das Kind in der Polenta kocht, auch wenn meine Schwester es mir nicht sagen will.

Das Kind versteckt sich im Maissack, weil es Angst hat. Und dann schläft es ein. Die Großmutter kommt, schüttet den Mais ins heiße Wasser, um für das Kind Polenta zu kochen. Und als das Kind aufwacht, ist es verkocht.

ODER

Die Großmutter kocht und sagt zum Kind: Paß auf die Polenta auf und rühr mit diesem Löffel, ich geh raus, Holz holen.

Als die Großmutter draußen ist, spricht die Polenta zum Kind: Ich bin so allein, willst du nicht mit mir spielen?

Und das Kind steigt in den Topf.

ODER

Als das Kind starb, kochte es Gott in der Polenta.

Gott ist ein Koch, er wohnt in der Erde und ißt die Toten. Mit seinen großen Zähnen kann er alle Särge zerbeißen.

AM LIEBSTEN HABE ICH GESCHICHTEN
MIT MENSCHEN, DIE ESSEN ODER GE-
KOCHT WERDEN.

In jeder neuen Stadt grabe ich ein Loch in die Erde
vor unserem Wohnwagen, stecke meine Hand hinein, dann meinen Kopf und höre, wie Gott unter der
Erde atmet und kaut. Manchmal will ich mich ganz
zu ihm hinabgraben, trotz meiner Angst, von ihm
gebissen zu werden.

GOTT IST IMMER SEHR HUNGRIG.

Er trinkt auch gerne von meiner Limonade, ich
stecke einen Halm in die Erde und gebe ihm zu trinken, damit er meine Mutter beschützt. Und ich lege
ihm auch ein wenig vom guten Essen meiner Mutter
ins Loch.

1

Meine Schwester und ich wurden plötzlich in ein Haus in den Bergen gebracht.

Beim Packen umarmte und küßte uns meine Mutter wie eine aufgezogene Puppe. Bevor sie unsere Kleider in den Koffer legte, küßte sie sie auch.
Ich werde euch sehr bald zurückholen, sagte sie immer wieder.

Mein Vater wollte sich nicht von uns verabschieden. Er fluchte und schlug sich ins Gesicht: Ich werde jeden umbringen, der Hand an meine Töchter legt!
Dann wandte er sich stumm unserem kleinen Schwarzweiß-Fernseher zu, dem er eine farbige Folie aufgeklebt hatte.
Das Gesicht des Tagesschausprechers sah wie eine Cassata aus.

Meine Mutter und wir wurden von Frau Schnyder, die sich seit unserer Flucht um uns und unsere Papiere kümmert, abgeholt.
Ist ein Arzt im Haus, fragte meine Mutter ständig, sind Sie sicher, daß meine Kinder da nicht entführt oder vergiftet werden!

VIELLEICHT HABEN UNS UNSERE ELTERN
VERKAUFT. DAS KOMMT IN RUMÄNIEN
VOR.

Und wo war meine Tante?

Die Fahrt im Auto dauerte mehrere Jahre.

Ich wollte mir den Weg merken, um zurückkehren zu können. Aber je mehr ich mich anstrengte, desto ähnlicher wurde alles, als hätte jemand die Landschaft aufgeräumt.
Die Bäume hatten ihre Blätter eingepackt, wie meine Mutter unsere Kleider.
Es fiel Schnee.
Das Auto schlängelte sich in die Höhe.

Jetzt müßte das Auto in die Schlucht stürzen.

Ein großes Haus, umgeben von Bergen.
Kaum stiegen wir aus, wußte ich nicht mehr, aus welcher Richtung wir gekommen waren. Die Straße, auf der wir gefahren waren, war verschwunden.
Wir wurden von einer Frau empfangen, die aussah, als hätte sie mehrere Menschen unter ihrem Kleid.
Das ist die Leiterin, sagte Frau Schnyder.
Ich bin Frau Hitz, sagte die Leiterin.
Sie führte uns in ein Zimmer mit vier Holzbetten.
Die Kissen und Decken auf den Betten sahen auch aus wie Schnee.

Ich wollte meinen Koffer nicht abstellen.

Die Leiterin öffnete das Fenster und zeigte auf den Garten.

Im Sommer könnt ihr Erdbeeren pflücken, sagte sie.

Sie roch nach Speck und sprach eine Sprache, die wie Singen klang. Meine Schwester verstand mehr Wörter als ich.

Im Sommer.

Und jetzt war Winter.

Wir werden immer hierbleiben, dachte ich und begann zu weinen.

Meine Mutter sah sehr schön und traurig aus, wir würden uns nie wiedersehen.

ICH WILL MEINE MUTTER IN MEINEN KOFFER PACKEN.

Frau Hitz zeigte uns den Eßsaal, den Aufenthaltsraum und die Küche. Alles war ordentlich und aufgeräumt, es roch nach Desinfektionsmittel. Unvorstellbar, daß hier jemand wohnte.

Im Aufenthaltsraum werden die Hausaufgaben gemacht, danach dürfen die Kinder spielen, sagte Frau Hitz.

Meine Mutter packte den Plastiksack voller Fotos aus und erzählte Frau Hitz von unseren großen Erfolgen und von unseren vielen Reisen. Sagte mit dunklem Blick, meine Kinder sind sehr intelligent, sie kennen die ganze Welt. Wir sind internationale Artisten! Sie müssen ihnen gut zu essen geben, nur das Beste, verstehen Sie! Ich werde jeden Tag anrufen und fragen, ob sie gut gegessen haben!

Meine Mutter küßte uns Löcher in die Wangen.
Sie und Frau Schnyder stiegen wieder ins Auto.
Winken.
Meine Mutter soll auf der Stelle sterben, dachte ich, dann werden wir sie im Garten unter unserem Fenster begraben. Im Sommer werden die Erdbeeren nach meiner Mutter schmecken.
Meine Schwester und ich standen Hand in Hand vor der Haustür. Neben uns Frau Hitz.
Sie hat sicher Gummiarme, wenn wir jetzt wegrennen, streckt sie den Arm aus und fängt uns wieder ein.
Ein Tier knabberte in meinem Bauch, es hatte mir schon die Beine weggefressen.

Dieses Haus ist ein Heim, sagt meine Schwester. Hier muß man sehr dick werden, sonst wird man von den Bergen zerdrückt. Und man muß viele Häute haben, um sich zu wärmen.

ICH LASSE MEINE HAUT AUF DEN BODEN
FALLEN.

Die Mädchen wohnen im oberen Stock, die Jungs unten. Es gibt auch Säuglinge.

Wir müssen ins Bett gehen, bevor es Abend wird.

Und aufstehen mitten in der Nacht.

Zimmer lüften, Decke und Kissen über das Fenstersims legen.

Dann stellen wir uns vor das großen Lavabo auf dem Gang. Wenn die Reihe an uns ist, waschen wir uns mit einem Lappen, der unseren Namen trägt.

Jedes Kind hat:

2 Lappen

2 Tücher

2 Servietten.

Die Bettbezüge sind namenlos.

Einmal die Woche müssen wir baden und die Haare waschen.

Unsere Kleider tragen auch unsere Namen, selbst die Socken. In der Nähstunde mußten wir jedem Kleidungsstück ein Bändchen mit den Anfangsbuchstaben unseres Namens annähen.

Nach dem Waschen das Bett machen und das Zimmer räumen.

Dann frühstücken und in die Schule gehen. Zur Schule führt eine Bergstrasse. Gegenüber der Schule ist ein Bauernhof.

Meine Schwester lernt lesen, schreiben und rechnen.
In meiner Klasse wird gesungen und gezeichnet.
Beim Singen kommen mir immer die Tränen.
Ich vertrage keine Fröhlichkeit.
Nach dem Singen bekommen wir ein Blatt mit einem Tier, das wir farbig anmalen müssen. Dann lernen wir, wie das Tier in der fremden Sprache heißt.

IN JEDER SPRACHE HEISST DASSELBE ANDERS.

Am Nachmittag müssen wir die Hausaufgaben machen, danach können wir im Haus oder im Garten spielen.
Die kleinen Jungs bleiben bei den Mädchen. Die großen kommen nur, wenn meine Schwester und ich Kunststücke machen.
Wir jonglieren mit Steinen.
Oder wir bewegen uns wie Gummifrauen.
Meine Schwester macht den Handstand und ich die Brücke oder den Spagat.
Ich stopfe mir Watte unter den Pullover und mache mir Brüste, wie meine Tante.
Dann kommen die Jungs auch.
Meine Schwester hat schon richtige Brüste.
Sie hat auch schon einige Haare unten.

Vor dem Abendessen müssen zwei Kinder die Milch vom Bauernhof holen.

Meine Schwester und ich dürfen nicht zusammen gehen.

Ihr seid schließlich nicht verwachsen, sagt Frau Hitz, der Mensch muß lernen, allein zu sein.

Ich will das Haus ohne meine Schwester nicht verlassen. Vielleicht bringt man sie weg, während ich die Milch hole, oder ich verlaufe mich und werde von den Wölfen gefressen.

In der Nacht hören wir die Wölfe heulen.

Ich sitze vor der verschlossenen Tür und weine.

Frau Hitz redet durch eine Türluke auf mich ein.

Sie werde die Tür wieder öffnen, wenn ich die Milch geholt habe, das andere Kind sei schon unterwegs, ich solle mich beeilen.

Bei jedem Schritt zum Bauernhof drehe ich mich um, nach der ersten Biegung verliere ich das Haus aus den Augen. Die Straße unter meinen Füßen dehnt sich aus und entfernt die Häuser. Ich werde weder zurückfinden noch je den Bauernhof erreichen.

Du darfst nie ohne deine Schwester weggehen, sagt meine Mutter. Sie schreit ins Telefon, als ich ihr vom Gang zum Bauernhof erzähle.

Danach sagt Frau Hitz, es wäre besser, wenn meine Mutter nicht mehr so oft anriefe, das bringe mich durcheinander.

Frau Hitz ist jetzt immer dabei, wenn meine Mutter anruft.

Nach dem Abendessen müssen wir abtrocknen, den Speisesaal wischen und die Tische für das Frühstück decken.
Am Abend legen wir die Kleider für den nächsten Tag auf einen Stuhl.

DIE ZEIT FRIERT.

Die Woche ist eingeteilt in Werktage und Wochen-
ende.
Am Mittwoch höre ich sagen: Bald ist Wochenende.
Am Wochenende kommen die Eltern und holen
ihre Kinder. Das Haus ist dann fast stumm, nur die
Säuglinge und wir.
Unsere Eltern kommen nicht.
Sie sind im Ausland, sagt Frau Hitz.
Hier ist aber auch das Ausland, sagen wir.

WIE VIELE AUSLANDE GIBT ES?

Am Wochenende gehen wir wandern.
Frau Hitz geht voran und wir hinterher.
Im Wald zünden wir Holz an und braten Würste.
Wir steigen auf hohe Türme, um das Land zu sehen.
Oder wir gehen schwimmen. Ich muß ins Wasser
springen, obwohl ich nicht schwimmen kann.
Wenn das meine Mutter erfährt!

Am Wochenende schlafe ich bei meiner Schwester im Bett, das ist verboten.

Nachts schleichen wir uns in das Zimmer eines Säuglings und zwicken ihn, bis er schreit. Wir halten die Stille im Haus nicht aus. Bis jemand die Treppe hochkommt, liegen wir wieder in unseren Betten. Es dauert immer länger, bis sich die Säuglinge beruhigen lassen. Das ist gut.

Manchmal gehen wir auch auf den Gang und sagen, wir wären aufgeschreckt. Wir dürfen dann kurz in die Küche und bekommen eine extra Tasse Milch.

Im Zimmer der Erwachsenen läuft meistens der Fernseher. Wir dürfen aber nicht bleiben.

Im Bett denke ich ständig daran, daß meine Mutter jetzt an den Haaren hängt. Meine Schwester muß beim KIND IN DER POLENTA immer grausamere Dinge erfinden.

Ich helfe ihr nach:

SCHMECKT DAS KIND WIE HÜHNER-FLEISCH?
WIRD DAS KIND IN SCHEIBEN GESCHNIT-TEN?
WIE IST DAS, WENN DIE AUGEN PLATZEN?

Dann weine ich.
Und meine Schwester hält mich fest und tröstet mich.

ICH TRÄUME, DASS MEINE MUTTER STIRBT.
SIE HINTERLÄSST MIR EINE SCHACHTEL
MIT IHREM HERZSCHLAG.

Das Kind kocht in der Polenta, weil es andere Kinder quält. Es fängt die Waisenkinder ein, bindet sie an einen Baumstamm und saugt ihnen das Fleisch von den Knochen.

Das Kind ist so dick, daß es immer Hunger hat.

Es wohnt in einem Wald voller Knochen, an denen man es von überallher knabbern hört.

Nachts deckt es sich mit Erde zu und schläft so unruhig, daß der ganze Wald zittert.

Am Sonntag gehen wir in die Kirche. Sie ist in der Nähe vom Bauernhof. Es ist aber keine orthodoxe oder jüdische, es wird weder getanzt noch besonders gut gesungen.

In jeder Sprache werden andere Geschichten über Gott erzählt, das ist normal, sagt meine Schwester.

Der Teufel spielt in dieser Kirche eine wichtige Rolle.

Der Teufel ist der Gehilfe Gottes und wohnt in der Hölle, die so heiß ist wie die Polenta.

Die Hölle ist hinter dem Himmel.

DIE MENSCHEN SIND GUT, WEIL SIE SICH VOR DEM TEUFEL FÜRCHTEN.

Ich lege meinen Waschlappen auf den Nachttisch.
Das ist die Hölle.
Wenn ich mich schnell an die Hölle gewöhne, können wir vielleicht bald wieder von hier weg.

Am Montag sind alle müde vom Wochenende.

Die anderen Kinder erzählen, daß sie am Wochenende mit ihren Eltern wandern waren.

Sie bringen Süßigkeiten mit, die sie Frau Hitz geben müssen. Alle Süßigkeiten, die uns die Eltern schikken, werden in den Schoggischrank eingesperrt. Frau Hitz entscheidet, was wir davon essen dürfen. Wer mehr Süßigkeiten hat, muß sie mit den anderen Kindern teilen. Das hat was mit der Kirche zu tun.

Einmal hat Frau Hitz einen Jungen erwischt, der den Schoggischrank aufknacken wollte. Zur Strafe bekam er zu jeder Mahlzeit nur Schokolade zu essen, bis er fast zusammengebrochen ist.

Wer stiehlt, wird bestraft, sagt Frau Hitz.

DAS ESSEN SCHMECKT HIER WIE DAS ABBAUEN DES ZIRKUSZELTES.

Wir müssen jeden Tag Flocken essen, die wie Sägemehl aussehen und die mit Obst und Milch zu einem Brei vermischt werden.

Am Anfang habe ich mich geweigert.

Morgens, mittags und abends wurde mir derselbe Teller vorgesetzt. Als ich davon aß und erbrach, mußte ich vom Erbrochenen essen, um mir das Stehenlassen abzugewöhnen.

Wenn einem etwas nicht schmeckt, redet Frau Hitz immer von den armen Kindern in Afrika, die am Verhungern sind. Daran merke ich, daß sie nie in

Rumänien war, sonst würde sie nicht immer dasselbe Beispiel bringen.
Ich glaube auch nicht, daß sie in Afrika war.

Meine Schwester findet sich hier besser zurecht, sie hat weniger Angst als ich.

MEINE SCHWESTER IST MEINE MUTTER GEWORDEN.

2

Die Kinder sagen, daß die Schule viele Jahre dauert.
Ich habe mir die Schule anders vorgestellt.
Jedenfalls heißt meine Lehrerin Fräulein Nägeli.
Fräulein Nägeli sagt, das Meer ist aus der Schweiz
weggegangen.
Das Meer ist gegangen, und die Berge sind gekom-
men.

Die ganze Erde ist ein Kommen und Gehen.

In der Schule steht die ganze Welt in Büchern.
Wenn meine Mutter unsere Lebensgeschichte
schreibt, werden die Kinder das bei Fräulein Nägeli
auch lernen.

Ich will zurück zum Zirkus.

Die anderen Kinder haben keine Angst, sie sprechen alle dieselbe Sprache.

Wir sprechen auch ihre Sprache, aber sie nicht unsere.

Ich kann in der fremden Sprache schon viele Wörter schreiben. Das Schreiben ist aber anders als das Sprechen. Selbst Frau Hitz spricht anders, als wir es in der Schule lernen. Ich frage mich, ob sie überhaupt so wie in der Schule schreiben kann.

Meine Schwester und ich sprechen untereinander unsere Sprache.

In meiner Sprache kann ich nur KUSS schreiben.

Ich schreibe meiner Mutter jeden Tag einen Brief, den ich ihr geben werde, wenn sie uns abholt. Ich schreibe KUSS und mache eine Zeichnung, und dann schreibe ich meinen Namen und meinen zweiten Namen für meine Tante mit farbigen Stiften. Manchmal schreibe ich ihr auch einige Wörter, die ich in der Schule gelernt habe, und meine Schwester schreibt darunter die Übersetzung in unsere Sprache.

Was nützt es mir, die fremde Sprache zu lernen, wenn meine Mutter sie nicht richtig versteht?

Wenn ich ihr am Telefon etwas von Fräulein Nägeli erzähle, hat sie keine Ahnung davon.

Sie sagt immer, ja, ja, schön!

Dabei ist das überhaupt nicht schön.

In den Wahrsagungen meiner Tante war nie von diesem Heim die Rede.

Hier kann man weder berühmt werden noch reich, geschweige denn einen Mann auswählen, der einem gefällt.

Als wir erzählt haben, daß wir schon in Diskotheken gewesen sind, haben sie uns ausgelacht.

Wir haben ihnen auch den Film LOVE STORY erzählt. Da ist Frau Hitz gekommen, hört sofort auf damit, schrie sie, ihr könnt so was gar nicht kennen, der Film ist verboten für Kinder!

Sie haben hier keine Ahnung, was wir schon kennen!

Wir dürfen auch nicht alle Kleider anziehen, die wir mitgebracht haben.

So ziehen sich doch keine Kinder an, hat Frau Hitz gesagt.

Flache Schuhe müssen wir tragen wie die Jungs.

Stöckelschuhe sind verboten.

Fingernägel lackieren und Lippenstift auch.

UND NIEMAND GLAUBT MIR, DASS MEINE MUTTER AN DEN HAAREN HÄNGT.

Ich hätte das erfunden, sagen die Kinder, weil sie nie zu Besuch kommt.

Zum Beweis, daß wir im Zirkus leben und in die ganze Welt reisen, haben wir eine lange Wunschliste gemacht, die wir laufend ergänzen werden.

Jedes Kind durfte sich etwas wünschen.

Wir saßen am Tisch, und die Kinder bildeten eine Schlange wie vor dem Brotladen in Rumänien.

Meine Schwester hat alles aufgeschrieben.

Wenn wir zurückkehren zu unseren Eltern, werden wir im Ausland die Geschenke kaufen und den Kindern schicken.

Meine Schwester und ich haben unsere eigenen
Spiele.

Ich steige auf ihre Schultern und lasse mich auf die
Kieselsteine fallen.
Sie trinkt Wasser aus dem Kuhtrog.
Ich lege Erde in mein Butterbrot.
Sie klemmt sich den Finger in der Tür ein.
Ich kratze mich, bis ich blute.
Sie reißt sich eine Handvoll Haare aus.
Ich lasse mich rittlings auf eine Stuhlkante fallen.

Wir wollen ins Spital.

Ich habe keine Läuse mehr.

Frau Hitz hat mich kahlrasiert. Meine Schwester
stand daneben und weinte.
Sonst weint meine Schwester nicht. Sie ist wie meine Tante.
Sie dürfen ihr die Haare nicht abschneiden, schrie
sie, unsere Mutter wird die Polizei schicken, wenn sie
das erfährt!
Meine Schwester hatte auch Läuse.

Pauli.
Heidi.
Vreneli.
Röbi.
Gabi.
Hier heißen fast alle i am Schluß.

Ich bin froh, daß ich keine Haare mehr habe. Ich will
immer kahl bleiben und im Zirkus nur am Boden
auftreten.

VIELLEICHT HABEN UNS UNSERE ELTERN
WEGGEGEBEN, WEIL ICH NICHT AN DEN
HAAREN HÄNGEN WILL.

Ich würde gerne an den Haaren hängen, sagt meine Schwester.

Sie haben uns weggegeben, weil der Zirkusdirektor unsere Reise nicht bezahlen wollte, sagt sie.

Das kann nicht sein, meine Mutter sagt am Telefon, das Heim sei so teuer, sie arbeite nur, um für uns zu bezahlen.

Da hätte sie uns ja die Reise damit bezahlen können.

Ihre Stimme klingt laut und fröhlich, sie will gar nicht wirklich hören, wie es uns geht.

Jedesmal sagt sie, ich hole euch bald zurück.

Das ist gelogen.

Die Kinder reden vom Zirkus wie vom Zoo.

Sie kriegen leuchtende Augen oder kichern.

Sie denken, daß alle Zirkusleute miteinander verwandt sind, sich lieben, im selben Wohnwagen schlafen und vom selben Teller essen.

Und dann lebt man in der Natur und oh wie schön! Sie können sich gar nicht vorstellen, daß man die ganze Zeit probt und daß man damit rechnen muß, daß einem die anderen die Nummer kopieren, und daß man am Abend von der Kuppel abstürzen kann und am nächsten Tag schon tot ist.

Sie denken, das ist alles Spaß.

WENN MEINE MUTTER ABSTÜRZT, STIRBT SIE NICHT ZUM SPASS.

Nur Schauspieler sterben zum Spaß.

Die Kinder lachen, wenn sie hören, daß ich Filmstar werde.

Im Grunde bin ich es schon ein wenig, denn mein Vater hat mich schon oft gefilmt. Wenn ich älter werde, wird er meine Lebensgeschichte verfilmen.

Frau Hitz hört das nicht gerne. Da wird sie rot im Gesicht und redet wie auswendig: Alle Menschen sind gleich, niemand darf etwas Besonderes sein wollen.

Das Wichtigste ist, arbeitsam und demütig zu sein.
Gott hat es nicht gerne, wenn die Menschen faul sind.
Der Mensch ist da, um die Welt zu pflegen.
Er darf niemandem zur Last fallen.
Er muß einen Beruf haben und so viel Geld verdienen, daß er auch spenden kann.
Und er muß sein Haus immer sauber halten.
Das gibt ihm den Frieden.

Sie sagt aber auch, daß wir das Ebenbild Gottes sind.

WENN WIR DAS EBENBILD GOTTES SIND, DANN DÜRFEN WIR AUCH SO BERÜHMT SEIN WIE ER.

Frau Hitz würde sich mit meinem Vater sicher nicht verstehen.

In einem Film hat er den Mörder und den Toten gespielt. Er spritzte Tomatensaft an die Wände und in die Badewanne, legte sich hinein und stellte sich tot. In der Szene davor zeigt er, wie der Mörder die Zimmertür aufschließt und ins Dunkle schleicht.

Dann sieht man, wie der Mörder einen Mann mit einem Küchenmesser ersticht. Dafür nahm mein Vater ein gerupftes Huhn und stach mehrere Male hinein. Die Hühnerbrust ist im Film der Bauch des Mannes. In einem anderen Hotel filmte er einen Brand und zündete den Balkon an.

Er hat auch schon einen Flugzeugabsturz inszeniert. Zuerst sieht man den Flughafen, die Leute, dann steigt das Flugzeug in die Luft und verschwindet in den Himmel.

Man sieht meine Mutter, meine Tante, meine Schwester und mich schreien, weinen und uns bekreuzigen.

Den Absturz filmte er mit einem Plastikflugzeug, das dann im Wald verbrennt. Für diese Szene verbrannte er auch Kleider und Koffer.

Meine Mutter muß oft Sachen vor meinem Vater verstecken, weil er sie für seine Filme zerschneidet, jemandem als Lohn gibt oder verbrennt.

Er hat sogar meine Lieblingspuppe verbrannt für seinen Krimi DIE SCHÖNE IM WALD.

Ein Wald.
Eine schöne Blonde, die auf einem Seil, das mein Vater zwischen zwei Bäume gespannt hat, Kunststücke mit einem Sonnenschirm macht.
Sie wird von einem Massenmörder überrascht.

Für die Szene, in der die Tote im Wald verstümmelt aufgefunden wird, riß mein Vater meiner blonden, sprechenden Puppe einen Arm und ein Bein aus und brannte ihr eine Wunde ins Gesicht.
Meine Puppe war plötzlich verschwunden.
Meine Mutter verdächtigte eine Trapeztruppe aus Rußland. Kriminelle Komunisten, plündern ihre eigenen Leute aus!
Hinter der Manege warf sie ihnen dunkle Blicke zu und verwünschte sie.
Als mein Vater uns seinen Krimi zeigte, entdeckte ich meine Puppe.
Ich habe die Puppe im Wald gelassen, weil sie ein Loch im Gesicht hatte, sagte er händeringend.
Weine nicht, ich werde dafür sorgen, daß wir wieder nach Rom reisen, dann kaufe ich dir zwei Puppen.
Drei Puppen! So viele du willst!
Weine nicht, schrie er, diese Filme mache ich für dich!
Die Leute sollen wissen, was du für einen Vater hast!

Deine Mutter glaubt, ich bin ein Analphabet, sie hat eine Zunge aus Paprika! Sie hat mich nur geheiratet, damit ich sie in den Westen bringe, glaubst du, ich weiß das nicht?

Wir wollen zu unseren Eltern zurück, sagen wir Frau
Hitz.

Zuerst müßt ihr die Schule beenden und dann einen
Beruf erlernen, sagt sie.

Wir haben schon, seit wir auf der Welt sind, einen
Beruf, wir sind Zirkusartisten!

Das ist Kinderarbeit. Wenn das die Polizei erfährt,
werden eure Eltern verhaftet.

Beim Sprechen streckt Frau Hitz die Nase in die
Höhe, als hinge sie an einem Fleischerhaken. Ihr Gesicht
wird in die Länge gezogen, der Mund öffnet
sich.

Ich trete in Frau Hitz ein.

Frau Hitz ist inwendig voller Regale, auf denen kleine
Polizisten mit kleinen Notizblöcken und kleinen
Bleistiften hocken.

Bleistiftspitzer sind sie von Beruf.

Wer am schnellsten seinen Stift verbraucht, darf höher
ins Regal.

Der fleißigste wird Spitzerkönig und darf seinen Abfall
auf die anderen runterwerfen.

Die Wunschliste der Kinder wird immer länger.

3

Meine Schwester wurde plötzlich von Frau Schnyder abgeholt.

Eure Eltern haben sich getrennt.
Dein Vater will, daß du zu ihm zurückkehrst, sagte
sie zu meiner Schwester, ihr werdet zusammen nach
Frankreich reisen. Es tut mir sehr leid, ich konnte es
nicht verhindern.

Mir ließ meine Mutter ausrichten, daß sie auch mich
bald zurückholen würde.

Das Telefon sagt, dein Vater hat auch Boxi mitge-
nommen. Die Ölbilder! Das Geld!
Ein Hurenbock, lag mit einer Schwarzen im Bett!
Überall leckt er junges Blut!

Ich werde dich bald zurückholen.
Ich werde dich bald zurückholen.
Ich werde dich bald zurückholen.
Usw.

Seit meine Schwester weg ist, erzähle ich meiner Puppe Anduza das Märchen vom Kind in der Polenta.

DAS KIND KOCHT IN DER POLENTA, WEIL ES DER MUTTER EINE SCHERE INS GESICHT GESTECKT HAT.

Meine Puppe Anduza ist jetzt meine Schwester.

Der Vater von Anduza heißt Herr Finster.
Seit sie in der Schule geneckt wird, reißt sie ihrer Puppe die Arme aus. Manchmal legt sie Knöpfe aufs Butterbrot und beißt darauf.
Anduza weint nur, wenn sie Zahnschmerzen hat.
Fräulein Lehrerin hat Anduza neulich geschlagen, weil sie auf den Boden gepinkelt hat.
Bis du denn wahnsinnig! hat die Lehrerin geschrien.
Alle haben es gehört und gelacht.
Die Puppe von Anduza pinkelt seitdem auch auf den Boden. Sie wird immer geschlagen, und Anduza schreit: Bist du denn wahnsinnig!

Der Vater von Anduza greift der Puppe oft unter den Rock. Und dann macht er Augen wie ein Fisch. Und atmet wie unter Wasser.

Anduza wird die Puppe irgendwann wegwerfen müssen.

In der Schule gibt es Strafaufgaben, weil ich nicht mehr lernen will, wie die Tiere heißen.
Ich habe ein Meerschweinchen ins Bett genommen, dafür hat mich Frau Hitz auf den Dachboden gesperrt.
Auf dem Dachboden mache ich meine eigene Strafaufgabe:

MEIN VATER STARB AN ABWESENHEIT.
MEINE MUTTER LEBT IN OHNMACHT.
MEINE SCHWESTER IST NUR DIE TOCHTER MEINES VATERS.
AUFGEWACHSEN BIN ICH ALLMÄHLICH.

Und Kinder will ich keine.
Und Kinder will ich keine.
Und Kinder will ich keine.
Und Kinder will ich keine.
Und Kinder will ich keine.
Und Kinder will ich keine.
Und Kinder will ich keine.
Und Kinder will ich keine.
Und Kinder will ich keine.
Und Kinder will ich keine.
Und Kinder will ich keine.
Und Kinder will ich keine.
Und Kinder will ich keine.
Und Kinder will ich keine.
Und Kinder will ich keine.

Und Kinder will ich keine.
Und Kinder will ich keine.
Und Kinder will ich keine.
Und Kinder will ich keine.
Und Kinder will ich keine.
Und Kinder will ich keine.
Und Kinder will ich keine.
Und Kinder will ich keine.
Und Kinder will ich keine.
Und Kinder will ich keine.
Und Kinder will ich keine.
Und Kinder will ich keine.
Und Kinder will ich keine.
Und Kinder will ich keine.
Und Kinder will ich keine.
Und Kinder will ich keine.
Und Kinder will ich keine.
Und Kinder will ich keine.
Und Kinder will ich keine.
Und Kinder will ich keine.
Und Kinder will ich keine.
Und Kinder will ich keine.
Und Kinder will ich keine.
Und Kinder will ich keine.
Und Kinder will ich keine.
Und Kinder will ich keine.
Und Kinder will ich keine.
Und Kinder will ich keine.
Und Kinder will ich keine.

Und Kinder will ich keine.
Und Kinder will ich keine.
Und Kinder will ich keine.
Und Kinder will ich keine.

Zuerst kam ich ins Spital.
Dann kam meine Mutter und holte mich zurück.

3

1

Meinem Vater sind am ganzen Körper Rücken gewachsen.

Kaum rede ich von ihm, macht meine Mutter den
dunklen Blick.
Bevor er wegging, gab es großen Streit.
Meine Mutter schlug auf meine Schwester ein, fiel in
eine Fensterscheibe und zerschnitt sich die Puls-
adern.
Ja, ich habe mit deinem Mann geschlafen! soll meine Schwester geschrien haben.
Dein Vater hat mir das Herz ausgesaugt und mich
weggeworfen! sagt meine Mutter. Ich war im Spital,
wie sollte ich dich früher aus dem Heim holen! Aber
Gott schläft nicht, deine Schwester hat ihn jetzt auch
verlassen. Sie hat sich von einem Fremden ein Kind
machen lassen, um von ihm wegzukommen!

ICH ERINNERE MICH NICHT, WIE MEINE
MUTTER FRÜHER GEROCHEN HAT.

Zu Weihnachten oder an Festen ist sie sehr laut und
fröhlich, und plötzlich beginnt sie zu weinen oder
fängt einen Streit an.

Über die Zeit im Heim spricht sie nicht.

Sie haben euch weggegeben, weil sie sich immer schon das Gehirn weichgetrunken haben, sagt meine Tante. Deine Eltern glaubten, daß hier das Glück auf der Straße liegt!
Deine Tante ist eifersüchtig, weil sie keine Kinder hat, sagt meine Mutter. Sie hat immer auf meine Kosten und von meinem Erfolg gelebt! Ohne mich hätte sie den Westen nie gesehen!

Kurz nach meiner Rückkehr aus dem Heim ist meine Tante auch weggegangen.
Sie hat einen jungen Liebhaber geheiratet, mit dem sie und ihre Plüschtiere in eine Wohnung eingezogen sind.
Im Zirkus machte er Pausenfotos und verkaufte Süßigkeiten. Jetzt arbeitet er in einem Spital und sie in einem Hotel.
Auf ihrem Hochzeitsfoto ist auch Frau Schnyder.
Sie läßt mir immer wieder ausrichten, ich soll zurückkehren und in die Schule gehen. Dafür sei es nicht zu spät.

Und was soll aus meiner Mutter werden?
Seit dem Unfall kann sie mit ihrer Nummer nicht mehr auftreten.

Wir machen eine große Parade, sagte meine Mutter dem Zirkusdirektor.

Eine Sensation!

Ich hänge am Kran des großen Schiffes, das nach Afrika fährt.

Du rufst das Fernsehen, die Journalisten, das Radio!

Unten stehen die Artisten.

Das Orchester spielt.

Ich werde vom Schiff zum Quai runtergelassen und rolle ein großes Plakat aus.

Unten steigen wir alle auf ein Lastauto und fahren durch die Stadt zum Zirkus.

Was sagst du?

Später machen wir eine große Reklame mit dem Helikopter!

Die einzige Frau auf der Welt, die an einem Helikopter an den Haaren hängt!

Wir werden Millionäre!

Am vereinbarten Tag wurde meine Mutter wie eine Kiste voller Porzellan sehr langsam mit dem Kran zum Boden runtergelassen.
Unten die Artisten, das Fernsehen, die Journalisten.
Das Orchester spielte.
Ich stand oben auf dem Schiff.
Sie kam unten an.

Alles ging gut.

Aber plötzlich änderte sie ihre Pläne, gab dem Kranführer ein Zeichen und rief: Hochziehen! Hochziehen!
Hochziehen! drängte sie lächelnd.

Wenn du Angst hast, nimmst du dein Herz in den Mund und lächelst, sagt meine Mutter.

Der Kran wurde wieder in Bewegung gesetzt.
Als er die Schiffshöhe erreicht hatte und nach innen gedreht werden sollte, stockte er und spickte plötzlich zurück.
Meine Mutter ließ das Plakat fallen und griff nach dem Draht, um den Schlag zu dämpfen.

Das Bild dehnte sich vor meinen Augen aus wie Gummi.

Der Kran verwandelte sich in eine Hand.
Meine Mutter wurde über den ganzen Himmel hin und her geschleudert.

No! No! Stop! rief der Zirkusdirektor.
Ihr Genick! Mein Gott, ihr Genick!

Ein Kurzschluß stoppte den Kran.
Meine Mutter blieb außerhalb des Schiffes in der Luft hängen.
Sie sah aus wie eine leere Haut.

In der Nacht vor dem Unfall hatte ich geträumt, daß mir meine Mutter die Haare abschnitt.
Lange Haare graben sich in die Erde ein und ziehen dich zu den Toten, sagte sie.
Beim Sprechen fielen ihr die Zähne aus dem Mund.

Bist du jetzt die Mutter? fragte meine Mutter.

Ich setzte mir ihre Augen ein und schaute sie an.
Ihr Gesicht war ein Zifferblatt, der Zeiger grub sich in die Haut ein und schnitt kleine Scheiben ab.

Was du aussprichst, wird wahr, sagte meine Schwester früher. Sie verbot mir, die Angst um meine Mutter auszusprechen.
Wäre der Unfall nicht passiert, wenn ich nicht so oft an ihn gedacht hätte?

Dein Vater hat uns verflucht, sagt meine Mutter, er hat den Kranführer bestochen!
Wie kann das sein, wenn er nicht einmal weiß, wo wir sind?

Ich bin erleichtert, daß der Unfall endlich passiert ist. Jetzt muß ich keine Angst mehr davor haben, daß meine Mutter in der Luft hängt.
Das ist vorbei.
Sie wird mit ihrer Nummer nie wieder auftreten können.
Wir müssen froh sein, daß du dir das Genick nicht gebrochen hast, sagen alle. Daß du noch lebst!

Froh sein.
Froh sein.
Froh sein.
Froh sein.
Froh sein.
Froh sein.
Froh sein.

Meine Mutter ist nicht froh.

Sie trinkt mehr Weißwein als früher.

Die Medikamente bringen mich um, sagt sie, ich vertrage sie nur mit Wein. Ich höre mein Herz nicht mehr!

Sie schlachtet auch keine Hühner mehr. Das Essen darf nicht mehr so gut schmecken wie früher. Seit sie nicht mehr an den Haaren hängt, macht gutes Essen dick.

Wenn ich gewußt hätte, was die Demokratie aus uns macht, wäre ich nie von zu Hause weggegangen! sagt meine Mutter. Wir gehen ins Paradies, sagte dein Vater.

Was, Paradies!

Hier sind die Hunde wichtiger als die Menschen! Wenn ich meiner Familie schreibe, daß die Regale im Laden voller Hundefutter sind, glauben sie, ich bin verrückt geworden!

Hier haben alle warmes Wasser im Bad und einen Kühlschrank im Herzen!

Aber Gott schläft nicht, mit den Tränen der Armen wird er ein Meer machen. Wenn wir in den Himmel kommen, werden wir darin baden. Dann kommen wir wieder raus mit einer Haut aus 24 Karat Gold!

MEINE FAMILIE IST IM AUSLAND WIE GLAS ZERBROCHEN.

Ich bin 13.

Meine Mutter sagt, ich sei 12, weil 13 Unglück bringt.

Manchmal sagt sie, ich sei 16 oder 18.

Mein Vater hat auch alle Filme mitgenommen.

Wir müssen jemand anderen finden, der einen Filmstar aus mir macht.

Der Impresario meiner Mutter hat mich schon mehrere Male zu Filmproduzenten geschickt.

Meine Mutter packte ihren Fotosack aus und erzählte von unseren Erfolgen.

Bis jetzt kam aber nichts dabei heraus, schon das erste Mal lief alles schief.

Meine Mutter und ich wurden empfangen, der Produzent schaute sich die Fotos an. Dann brachte er mich in ein Zimmer mit einem großen Bett und schaltete einige Scheinwerfer an.

Meine Mutter mußte draußen warten.

Stell dir vor, sagte er, dein Hund wird überfahren.

Da auf dem Bett!

Ich griff mir an den Kopf, schrie und wälzte mich.

Gut! Gut! sagte er. Ich geh jetzt raus, du ziehst dich aus, und dann wiederholen wir das Ganze.

Als ich gerade dabei war, mich auszuziehen, stürzte meine Mutter schreiend ins Zimmer, nahm meine Kleider und zerrte mich aus der Wohnung.

Das ist die Mafia, vergewaltigen Kinder, Polizei!
Was ist die Welt? Katastrophe! Ich bin eine rumänische Frau, aber nicht dumm! Ich werde im Fernsehen sagen, was du mit meiner Tochter machen wolltest!
Ich schrie meine Mutter an: Das ist mein Beruf! Laß mich los, das ist mein Beruf!

Hat mein Vater denn anders gearbeitet mit seiner SCHÖNEN IM WALD?

Meine Mutter hat einen neuen Mann.

Sie lernte ihn in einem Hotel kennen, in dem er mit
seinem Hund Püffi wohnte.
Er sei Journalist, sagte er.
Bald stellte sich heraus, daß er weder Journalist war,
noch sein Zimmer bezahlen konnte.
Seitdem hat er sich uns angeschlossen.
Den Hund mußte er aber am Strand lassen, weil sich
meine Mutter vor großen Hunden fürchtet.
Dafür schenkte er mir einen kleinen Hund.
Bambi.
Im Hotel geht Bambi ins Badezimmer pinkeln.
Wenn Hunde verboten sind, verstecken wir ihn in
einer Tasche.
Er schläft bei mir am Bauch oder am Hintern, das
wärmt.
Bambi frißt keine Knochen, er ist ein Mensch wie
wir. Auf unserem kleinen Gaskocher koche ich ihm
Hühnerfleisch mit Reis. Zum Dessert kriegt er zer-
drückte Banane mit Milch und Butterkeksen.

Bambi ist mein Kind.

Ich habe ihm vom Heim erzählt. Er spitzte die
Ohren.
Bambi hat Persönlichkeit. Er wird auch berühmt.
Wenn es regnet und er Angst hat, erzähle ich ihm
vom KIND IN DER POLENTA.

Das Kind in der Polenta hat ein Hundegerippe, vor dem sich alle fürchten. Wenn es einen anschaut, wird man selber zum Gerippe.

Im Hotel kriege ich jetzt ein Zimmer für mich und Bambi allein.
Ich fürchte mich davor, in einer fremden Stadt alleingelassen zu werden. Ich wüßte nicht, an wen ich mich wenden sollte.
Alleine auf die Straße darf ich nicht, und wenn ich ginge, würde ich mich verlaufen. Ich kann mir nicht merken, wo die Häuser stehen und wie die Straßen heißen, dauernd habe ich das Gefühl, daß sie auf- und abgebaut werden.

ICH HABE DAS GEFÜHL ABZUBRÖCKELN.

Meine Mutter bringt ihrem neuen Mann das Zaubern bei.

Er zieht Bambi aus einem Feuerkessel, wirft Ringe in die Luft, die sich zu einer Kette bilden, und läßt Tauben aus seinem Spazierstock emporfliegen.

DUO MAGICO wollen sie sich nennen.

Die Werbefotos für die Agentur haben wir schon.
Im Hotelzimmer haben wir ein Bettuch vor die Wand gespannt, meine Mutter hat eines ihrer Kostüme angezogen, der neue Mann einen Smoking, und ich habe die Fotos gemacht.

Ich glaube, der neue Mann hat gar keinen eigenen Beruf.
Bevor meine Mutter auf die Idee mit der Zaubernummer kam, züchtete er Würmer, die er an die Fischer verkaufen wollte. Der Kofferraum in unserem Auto war voller erdbedeckter, modriger Holzkisten, die wir von Stadt zu Stadt mitschleppten. Um sie zu bewässern, schmuggelten wir sie nachts ins Hotelzimmer und stapelten sie in der Badewanne auf.
Bald verlor er aber die Geduld und ließ die Würmer vertrocknen.
Die Kisten luden wir auf einem Autobahnparkplatz ab.

Vor dem Würmergeschäft arbeitete er für eine Weile auf einer Baustelle.

Und meine Mutter und ich halfen einem alten Bauern, der uns dafür Kartoffeln, Zwiebeln und Wassermelonen gab.

Mit dem Geld von der Baustelle kauften sich meine Mutter und er Bier, Wein und Zigaretten.

Und für mich jede Woche 1 Fotoroman.

Wir machen nie Urlaub. Wenn wir nicht auftreten oder Geschäfte machen, sind wir arbeitslos und müssen uns Geld ausborgen.

Wo ist unser Haus?

Der Koffer mit dem Porzellangeschirr meiner Mutter ist noch da.

3

Meine Mutter und ihr Mann wollten mit ihrer Zaubernummer in Nachtclubs auftreten.
Die Nachtclubbesitzer wollten lieber sie und mich.
Meine Mutter übte mit mir eine Jongliernummer ein, wir zogen ihre Zirkuskostüme an und traten auf.
Nach der Nummer setze sich meine Mutter an den Tisch eines Gastes und bestellte Champagner.
Ich wurde als ihre kleine Schwester vorgestellt.
Man dürfe mich aber nicht anfassen, fügte sie hinzu.

In einem dieser Lokale entdeckte mich die Varieté-besitzerin PEPITA.

Ich trete jetzt im Varieté auf.

Zuerst habe ich mit den anderen Frauen getanzt.
Die Auftritte wurden immer zahlreicher, und Pepita
hat mich allmählich in den Vordergrund gestellt.

DER KÖRPER – so werde ich auf lebensgroßen
Plakaten in jeder Stadt angekündigt.

An meinen Brustwarzen wippen kleine, blauweiß
gestreifte Glitzersterne, die ich mir mit Pflaster auf
die Haut klebe. Ich trage eine Matrosenmütze und
salutiere beim Singen.
Ich singe leise, schrill, gehaucht, hüftschwenkend.
Und ich sehe wie eine berühmte Filmschauspielerin
aus. Weil ich jetzt blond bin und mir ein Muttermal
zwischen Nase und Oberlippe schminke.
Meine Mutter hat bei Pepita einen Fünfjahresvertrag
unterschrieben.
Wenn ich entdeckt werde, gehen wir aber früher.
Pepita kriegt selber Probleme, wenn sie uns verklagt,
weil ich minderjährig bin.

Pepita wollte, daß ich nackt auftrete.

Da ich aber zu jung bin dafür, klebe ich mir ein behaartes Dreieck zwischen die Beine. Das hat sich meine Mutter ausgedacht.

Sieht aus wie echt. Und ich habe ein angezogenes Gefühl.

Meine Mutter näht mir die Kostüme, so wie sie es früher für sich selber getan hat.

Die Nummern studiert der Choreograph Vargas mit mir ein.

DAS TELEFON ist meine beste Nummer.

Auf der Bühne ein Bett.

Ich darauf im durchsichtigen Negligé.

Das Telefon klingelt.

Mit schlangenhaften Bewegungen den Hörer abnehmen, leise meinen Namen ins Telefon singen,

horchen,

OH.

Langsam, fast unmerklich,

immer noch singend,

meine Beine mit dem Hörer streicheln,

das Negligé absteifen.

Pfeifen und Rufen im Zuschauerraum.

Vom Bett runtergleiten,

zur Rampe tänzeln.

Fotos von mir verteilen,

Ein wenig meine Beine anfassen lassen.

Pepita hat extra für diese Nummer zehntausend Karten mit einem Foto von mir drucken lassen.

Meine Mutter wartet immer mit einem Morgenmantel hinter der Bühne auf mich.
Meine Tochter ist noch Jungfrau, weil ich sie so
halte!
Bei SO ballt sie die Faust und lächelt. Sie läßt keine
Gelegenheit aus, um zu sagen, daß ich noch ein Kind
bin und daß sie mich vor dem Filmproduzenten gerettet hat, der mich vergewaltigen wollte.

Seit dem Unfall sind meiner Mutter mehrere Häute
gewachsen. Jede Haut scheint einer anderen Frau zu
gehören.

Mich hat noch nie ein Mann am richtigen Ort
berührt. Ich denke an nichts anderes. Ich will von
zweien gleichzeitig vergewaltigt werden.

Mary Mistral, der große Star des Varietés, zeigt ihre echten Schamhaare, aber bei mir klatschen und pfeifen die Leute mehr, weil ich viel jünger bin.

Vor dem gemeinsamen Finale stellt Mary Mistral einen Fuß auf den Stuhl und läßt sich von ihrer Mutter, sie reist auch mit ihrer Mutter, die Schamhaare kämmen. Die Mutter kniet wie vor der Heiligen Maria nieder und sagt: Die Haare meiner Tochter sind unser größtes Kapital. Schaut, wie dicht und lang sie sind!

Ich werde nie ganz nackt auftreten, ich würde lieber verhungern, habe ich dem Journalisten gesagt.

Das kam groß in der Zeitung.

Das mit dem Dreieck durfte ich ihm aber nicht erklären.

An jenem Abend griff sich Mary Mistral zwischen die Beine, zog an ihren Schamhaaren und drohte, mir bei der nächsten Beleidigung das Gesicht zu zerschneiden.

Was für eine Frau! Sie hat eine Haut wie ihr Lederkoffer, und der Busen ist künstlich aufgepeppelt. Egal, wie sie sich bewegt, der Busen bleibt steif wie Käseglocken.

Wenn ich entdeckt werde, werden wir die Drohung Mary Mistrals als Grund unseres Vertragsbruchs angeben.

Fast jede Woche treten wir auf einem anderen Jahrmarkt auf, in einem großen Zelt. Manchmal auch in alten Kinos, in Spelunken, wo wir auf Tischen tanzen, in Ruinen mit eingestürztem Dach. Einmal hat es sogar während der Vorstellung auf die Bühne geregnet.

In den größeren Städten sind die Theater schön und geheizt, und es gibt sogar eine Toilette.

Zwischen den Tourneen wohnen wir in der Hauptstadt.

Dann arbeite ich für die Werbung.

Schreibmaschinen.

Strümpfe.

Flamencoröcke.

Straffende Salben für den Busen.

Pepita vermittelt mich.

Ich sei ihr bestes Stück, sagt sie.

Meine Mutter ist immer dabei.

Beim Film wird es auch so sein, sagt sie, viel Licht und eine Menge Leute, die sich um uns kümmern werden.

Pepita hat eine kleine Tochter und einen Mann, der mich anschaut wie einer, der sich was dabei denkt. Wenn ich die Gelegenheit hätte, würde ich ihn gerne auf den Mund küssen.

In der Hauptstadt wohnen wir immer in der PEN-SION MADRID, die wir schon von unseren Zirkusreisen her kennen.

Während wir in anderen Hotels wie auf dem Bahnhof wohnen, mit halbgepackten Koffern auf dem Schrank, packen wir hier fast alles aus.

PENSION MADRID ist eine Art Heim für alte Artisten. Die meisten wohnen schon seit Jahren in ihren Zimmern, Tänzer, Zauberer, teure Frauen.

Geführt wird sie von der alten, dürren Doña Elvira, die auch selber die Zimmer macht und den ganzen Tag, mit weißen Bettüchern beladen, durch die Gänge schleicht und an den Türen horcht.

Als ich sie einmal dabei überraschte, sagte sie: Ich schaue, daß niemand stirbt. Aber du mußt dich um solche Dinge nicht kümmern, das kommt früh genug. Und von allein.

Der Tänzer Toni Gander läuft den ganzen Tag im Seidenmantel herum, mit einem Netz im Haar. Er verläßt nie das Haus, weil er ein steifes Bein hat.

In der kleinen Gemeinschaftsküche kocht er für sich und seine drei Katzen, die mit ihm vom selben Teller essen dürfen.

Im Zimmer des Zauberers fliegen Tauben herum.

Meine Mutter wollte sie für ihre Zaubernummer kaufen, aber sie sind schon zu alt dafür.

Eine ehemalige teure Frau hat eine Schlange in ihrem Zimmer.

Das ist jetzt mein Mann, sagt sie.

Nach Mitternacht ist die Gegend um die PENSION
MADRID wie ausgestorben.
Wenn wir ins Haus wollen, müssen wir in die Hände
klatschen, bis der Türöffner kommt. Er sitzt in einer
kleinen Kabine am Ende der Straße und wächst in
die Erde hinein. Die ganze Nacht hört man, wie er
sich von Tür zu Tür schleppt und mit seinem verro-
steten Schlüsselbund scheppert. Bei jedem Schritt
zieht er seine Füße wie Rüben aus der Erde. Er sieht
aus wie eine Wurzel mit einem weißen Auge.
In dieser Stadt wohnt jeder, wo der Schlüssel paßt,
brummt er.
Jedem erzählt er, er habe das Vaterland verteidigt,
streckt die Hand aus und wartet auf Trinkgeld.
Trinkgeld für den Frieden!

PENSION MADRID ist der einzige Ort, an den
wir immer wieder zurückkehren, entweder weil wir
in der Stadt auftreten, eine Pause haben oder arbeitslos sind.
Es ist ein wenig mein Zuhause geworden.
Auch mein Vater, meine Schwester und meine Tante
wohnten hier, als wir noch zusammen waren.

Mary Mistral trägt auch am Tag eine Perücke, oben sind die Haare nicht so dicht wie unten.

Warum altert das Gesicht schneller als der restliche Körper?

Von hinten sieht Mary Mistral jünger aus als von vorne.
Bevor ich in die Zeitung kam und so viele Auftritte hatte, waren Mary Mistral und ich ein wenig befreundet.
Von ihr habe ich gelernt, Spiegeleier zu kochen.
Zuerst Öl in die Pfanne und dann sofort die Eier rein, noch bevor das Öl heiß wird.
So einfache Dinge kocht meine Mutter nicht.
Sie ißt sie auch nicht.
Was ich beim Kochen der Spiegeleier von Mary Mistral gelernt habe ist, worauf ich bei einem Mann schauen muß.
Ich muß schauen, daß er unten viel hat, sagt sie.
Es ist am schönsten, wenn er unten viel hat.
Solche Dinge sagt mir meine Mutter nicht, obwohl sie es auch macht. Vor ihrem neuen Mann sind einige Männer aufgetaucht, die mir Geschenke gemacht haben.

4

Ich wachse rückwärts.
Meine Mutter versucht, mich jedes Jahr kleiner zu
machen.

Ich sei noch ein Kind, das beschützt werden muß,
sagt sie.
Ein Kind! Sieht ein Kind so aus?
Ich habe beobachtet, wie Mary Mistral einen Mann
anschaut. Sie kneift die Augen zusammen, beißt sich
auf die Zähne und zittert mit den Lippen. Dabei
wirft sie den Kopf in den Nacken.
Ich mache das auch, aber es geht noch nicht sehr gut.
Wenn ein Mann lange schaut, ist es peinlich. Es ist
auch unverschämt. Es wundert mich, daß die Frauen
dieser Männer nichts dagegen haben.

Der Mann meiner Mutter ist gebildet, er liest Bücher. Ich kenne sonst niemand, der Bücher liest.

Er stellt mir immer wieder Fragen, die sehr peinlich sind. Vor anderen Leuten hat er mich gefragt, ob ich weiß, wer das Radio erfunden hat.

Bevor ich was sagen konnte, sagte er, ob ich mich nicht schämte, es nicht zu wissen.

Ich habe den ganzen Abend kein Wort mehr gesprochen.

Auch mit meiner Mutter nicht.

Meine Mutter sagt, sie sei acht Jahre in der Schule gewesen, und zählt die Hauptstädte der Länder auf.

Kann sein, daß sie tatsächlich in der Schule war, sie hat eine schöne Schrift.

Die Briefe meiner Verwandten sind auch in schöner Schrift geschrieben.

Meine Mutter hat allen geschrieben, in wie vielen Schulen ich schon gewesen bin und daß sie ihr ganzes Geld in meine Privatlehrer steckt. Ich könnte sechs Sprachen sprechen und schreiben.

Ich bin über den Unterricht bei Fräulein Nägeli nicht hinausgekommen.

Davon will meine Mutter aber nichts wissen.

Mit jeder Nachricht von zu Hause wird es peinlicher, meine Familie muß annehmen, ich hätte es nicht nötig zu antworten.

Schreib doch auch, drängt meine Mutter.

Ich kann nicht, sage ich.

Sie kriegt den dunklen Blick: Wie kannst du das von deiner Muttersprache sagen! Was sollen die Leute denken? Daß wir dem Schuhmacher entkommen sind, damit es uns hier schlechter geht als zu Hause? Daß mein Mann mich verlassen hat und daß meine Tochter nicht schreiben kann? Sollen sie das von uns denken?

Nach einer solchen Auseinandersetzung weint sie wie ein Kind. Ich darf sie dabei nicht berühren, sonst dreht sie sich um und sagt, sie hätte niemand, der ihr Tee kochte, wenn sie krank wäre.

Wenn sie sich beruhigt, sagt sie: Die Muttersprache ist wie das Blut in den Adern, sie fließt von allein.

Schreib, dann wird es gehen!

Dann trinkt sie Weißwein.

Und wird sehr fröhlich und laut und legt rumänische Musik auf und tanzt.

Und küßt mich schmatzend, als wollte sie mich leersaugen.

Ich bin nicht sicher, ob meine Familie Briefe von mir erwartet.

Sie schickt uns Arztrezepte und Wunschlisten mit ausgeschnittenen Füßen für die richtige Schuhgröße:

Bitte seid nicht böse auf uns.
Wir lieben euch.
Gott wird euch alles zurückgeben, was ihr uns gegeben habt.
Wenn ihr könnt und wollt, schickt uns bitte mehr.
Mein Geschwür ist groß wie ein Kind.
Wir wünschen euch und allen euren Freunden dort nur das Beste, Gesundheit, Glück, die Erfüllung aller Wünsche!
Seid bitte nicht böse.
Es ist hier schwer zu leben.
Die Medikamente sind sehr teuer.
Wir küssen euch!
Du sollst wissen, daß meine Mutter große Sorgen hat.
Bitte sei nicht böse auf uns!
Ich bete jeden Tag zum guten Gott für euch.
Kannst du für meinen Vater dort Arbeit finden?
Ich habe euch viel über meine Probleme geschrieben, aber ich habe euch nicht gefragt, wie es euch geht?
Wir küssen euch.
Wir leiden.

Gott soll alle eure Wünsche erfüllen, er soll euch reich machen, damit ihr uns helfen könnt!

Das Leben ist ein Haufen Scheiße.

Ich bin dein Onkel Pavel, ich habe dich schon vor deiner Geburt gekannt.

Du hast eine Seele wie das Brot Gottes.

Bitte schickt uns Geld, damit Ana in die Schule gehen kann.

Glückliches Neues Jahr!

Ileana erbricht immer, weil sie so hungern muß.

Ich küsse deine Hand.

Cornelia kann nicht mehr laufen.

Ich habe dich nach deiner Geburt als erste in die Arme genommen.

Doina gleicht dir, sie kann schon deinen Namen sagen.

Bitte sei nicht böse!

Wir sind eure Familie.

Ich bin deine alte Tante, ich habe deine Mutter im Krieg barfuß in die Berge getragen.

Meine Schwestern glauben mir nicht, daß ich kein Geld habe! Sag ihnen nicht, daß es mir so schlecht geht. Sie freuen sich über mein Unglück!

Unsere Lieben, wenn ihr diesen Brief gelesen habt, zerreißt ihn!

Ich bin deine Cousine Josefina, ich bin so alt wie du und kann im Haus alles tun, bitte finde einen guten Mann für mich zum Heiraten!

Wir küssen euch süß!

Ich bin dein Onkel Petru, ich habe dir im Park die Schwäne gezeigt, erinnerst du dich?

Ich trete in zwei Zaubernummern auf, aber mit einem richtigen Zauberer aus Paris. Einmal bin ich in einem Schrank, die Tür wird geschlossen, Gesicht, Hände und Füße bleiben sichtbar. Dann steckt er einige Säbel durch die Wände. Zum Schluß nimmt er den mittleren Teil des Schranks wie eine Schublade heraus.

Das zweite Mal kommen Mary Mistral und ich auf die Bühne und legen uns je in eine fahrbare Kiste. Kopf, Hände und Füße sichtbar. Wir werden in zwei Teile zersägt, über die ganze Bühne herumgedreht und wieder neu zusammengefügt.

Beim Verbeugen trägt jede die Beine der anderen.

Der Mann meiner Mutter muß noch viel üben, bevor er so schwierige Tricks machen kann.

Meine Mutter glaubt, daß Pepita ihn engagieren wird.

Obwohl er nur ein paar Jahre älter ist als ich und ich jetzt das Geld für uns drei verdiene, behandelt auch er mich wie ein Kind.

Zu einem anderen Mann, der ihn über mich ausgefragt hat, habe ich ihn sagen hören, ich sei seine Tochter. Der hat vielleicht was locker! Ist immer für Blödsinn aufgelegt und trinkt so viel Bier, als müßte er ein Ackerland in sich bewässern.

Die Mutter von Mary Mistral ist sehr alt und geizig, ihre kaputten Stiefel hat sie mit Draht geflickt.

Was sie wohl mit dem vielen Geld tut, das ihre Tochter verdient?

Mary Mistral scheint weder verheiratet zu sein noch Kinder zu haben, obwohl sie schon längst alt genug dafür wäre.

In zwanzig Jahren werde ich immer noch jünger sein als sie jetzt.

Ich werde jung sterben.

Vom Weltuntergang hat mir Mary Mistral erzählt.

Sie ist gläubig, Jesus Christus hängt bei ihr am Spiegel. Vor der Vorstellung küßt sie ihn, bekreuzigt sich, küßt ihren Finger und fährt sich über die Schamhaare.

Daß sich meine Mutter vor ihrem Auftritt im Zirkus bekreuzigte, verstehe ich, aber was kann schon bei Mary Mistral schiefgehen.

Ich bekreuzige mich nicht.

Mary Mistral sagt, Jesus Christus sei der beste Liebhaber, sie müsse unter der Dusche nur die Augen schließen und ihn machen lassen. Jesus Christus weiß am besten, was eine Frau braucht, sagt sie, wenn du dich von unten duschst, kommt der heilige Geist und macht dich glücklich.

5

Der Mann ist ein Schwein, sagt meine Mutter.
Er könnte dein Vater sein!
Sie duldet kein Wort darüber.
Zu ihrem Mann habe ich sie sagen hören, ich hätte
den Mann provoziert, sonst wäre das sicher nicht
passiert.

Du bist wie dein Vater!

Der Mann und die Frau tauchten plötzlich bei Pepita
auf.
Ich sei so schön wie Marilyn Monroe, sagten sie.
Meine Mutter führte mich wie ein Stück Kuchen
vor. Ich mußte mich im Kreis drehen und lächeln.
Ich mache einen Filmstar aus meiner Tocher! Sie ist
eine natürliche Schönheit! Sie wird Prinz Albert von
Monaco heiraten. Schöner Mann. Wenn er meine
Tochter sieht, wird er verrückt! Sie ist intelligent, nur
studieren, nicht trinken, keine Männer anschauen,
kein Taca-Taca - keine Hurerei! Sie spricht sanft wie
eine Vogelfeder. Sie wird mir viele Kinder machen,
und Mama wird in der Villa auf die Kinder aufpassen! Ich lebe nur für mein Kind. Wenn mein Kind
weggeht, sterbe ich! Eine rumänische Familie bleibt
immer zusammen. Schön!

Es stellte sich aber bald heraus, daß sie nur Zuschauer waren, nicht meine Entdecker.

Die Frau war schwanger.

Wenn wir in der Nähe ihrer Stadt auftraten, kamen sie zu Besuch.
Brachten ihre Söhne mit.
Weihnachten sollten wir bei ihnen zu Hause verbringen.

Der Mann ist Goldschmied.

Meine Mutter lud alle zum Essen ein, wir saßen an einem großen Tisch vor unserem Wohnwagen.
Auf dem Foto sehen wir wie eine Familie aus.
Nach der Vorstellung legten sich die Söhne im Wohnwagen schlafen, wir gingen tanzen.
Der Mann behandelte mich wie seine Tochter.
Er nahm meine Hand und setzte mich auf seine Knie.
Seine Frau und meine Mutter lachten.
Der Mann meiner Mutter warf mir seltsame Blicke zu.

Sie haben ein schönes, großes Haus, glänzende Holzmöbel, einen Farbfernseher mit Fernbedienung, echte Ölbilder, vergoldete Gläser, teures Porzellangeschirr und Regale mit Büchern.

Unser Haus in Rumänien sei viel schöner und größer gewesen, sagt meine Mutter.

Daran kann ich mich nicht erinnern.

Aus den Erzählungen meiner Mutter weiß ich, daß ich dort mit den Farbstiften meiner Schwester die Wände vollkritzelte. Ich besaß ein rotes Plastiktelefon aus Rußland, mit dem ich die Schwäne anrief.

Wir hatten eine Magd, die Wetta hieß, und den großen Hund Merzischor, mit dem ich im Hundekorb schlief und aus demselben Napf essen wollte. Aus Merzischors Haaren hatte mir Wetta einen Pullover gestrickt.

Onkel Petru nannte ich VATER, weil ich bei ihm die Gläser zerschlagen durfte.

An meinen Vater erinnere ich mich nicht.

Meine Tante sagte, wenn sie nicht gewesen wäre, hätte mein Vater es bei meiner Mutter durchgesetzt, mich abzutreiben, denn, so soll er gesagt haben, wie soll man mit einem Säugling herumreisen und ins Ausland fliehen.

Nach meiner Geburt ließ mich meine Mutter bei meiner Tante, während sie mit meinem Vater mit dem Zirkus umherzog.

Als sie zurückkam, nannte ich meine Mutter TANTE.
Und meine Tante MUTTER.

Das wurde mir wieder abgewöhnt.

Die zwei älteren Söhne des Mannes haben je ein eigenes Zimmer.
Und eigene Bücher.
Ich habe keine Bücher.

Bücher machen dumm, sagt meine Mutter.

Ja, ja, Schlucki, sagt ihr Mann belustigt, du läßt dich von nichts beeindrucken.

Als ich den Söhnen erzählte, wir seien in Afrika gewesen, sagten sie, das sei auf einem anderen Kontinent.
Meine Mutter erwiderte, daß ich das wisse.
Zwischen den Kontinenten sind die Meere, sagten die Söhne.
Ich erinnerte mich an Fräulein Nägelis Bemerkung.

Das Meer ist aus der Schweiz weggegangen und hat sich zwischen die Kontinente gesetzt.

Der Mann ruft mich in der PENSION MADRID an, wohin wir vorzeitig zurückgekehrt sind, und sagt, daß er mich liebt und daß ich mich nicht fürchten soll.

Das Telefon ist auf dem Gang.

Aus dem Zimmer, das ich mit meiner Mutter und ihrem Mann teilen muß, höre ich es immer wieder läuten.

Meine Mutter hat mir verboten, mit ihm zu reden.

In der Nacht schleiche ich auf den Gang und warte auf das Läuten.

Solange meine Mutter schnarcht, kann mir nichts passieren.

Die Frau des Mannes hat meiner Mutter gesagt, ich hätte ihre Ehe beschmutzt.

Sie sind katholisch.

Bevor wir abreisten, schrubbte sie weinend und betend den Steinboden auf nackten Knien, um für ihren Mann und mich Buße zu tun.

Angefangen hatte es an einem Nachmittag vor dem Fernsehen.

Meine Mutter, ihr Mann und die Frau hatten sich hingelegt.

Die Söhne saßen vor uns auf dem Boden, der Mann und ich auf dem Sofa.

Plötzlich öffnete er seine Hose, nahm sein Ding in die Hand und rieb es, bis eine weiße Flüssigkeit rausspritzte.

Ich wagte nicht, mich zu bewegen.

Der Mann legte seine Finger auf meine Lippen.

Leck, flüsterte er.

Eines Tages brachte er mir Geschenke mit, ein Tennisröckchen und Sportschuhe.

Meine Mutter sagte, ich könne nicht Tennis spielen und es lohne sich nicht, es jetzt noch zu lernen, weil wir eh bald abreisen würden.

Der Mann bestand darauf, mich mitzunehmen.

Daß die Söhne dabeiwaren, beruhigte meine Mutter.

Ihr Mann solle aber mitkommen, sagte sie.

Laß sie gehen, sagte der darauf, sie ist alt genug, um auf sich selbst aufzupassen.

Meine Tochter ist noch Jungfrau, sagte meine Mutter den Söhnen drohend, ihr dürft sie nicht aus den Augen lassen!

Auf dem Tennisplatz hängte der Mann seine Söhne schon am ersten Tag ab.

Dann fragte er mich, ob ich mit ihm in die Umkleidekabine wolle.

Ich nickte.

Wir sperrten uns in der Toilette ein.

Öffne meine Hose, sagte er.

Seine Unterhose fühlte sich prall und feucht an.

Hast du das schon mal gemacht?

Ich verneinte.

Nimm meinen Schwanz und mach, was du willst, sagte er.

Ich betastete seine Unterhose, wagte aber nicht, hineinzufassen.

Du kannst ihn auch in den Mund nehmen.

Der Mann heißt Armando.

Meine Mutter hatte auch mal einen Mann, der Armando hieß. Und er war auch verheiratet.

Warum regt sie sich bei mir darüber auf?

Der Armando meiner Mutter war Besitzer eines Nachtclubs in Paris.

Dort traten meine Eltern und meine Tante auf.

Über dem Lokal hatte er eine große Wohnung mit langen Spiegelgängen wie in einem Spiegelkabinett.

Wir wohnten im Wohnwagen auf dem Campingplatz.

Mein Vater ließ meine Mutter nicht alleine ausgehen, deshalb nahm sie mich regelmäßig zu Armando mit. Unterwegs kaufte sie mir ein Micky-Maus-Heft und Süßigkeiten.

Sie brachte mich in ein Zimmer, das wie der Warteraum eines Arztes aussah. Sie sagte lächelnd, ich könne mich aufs Sofa legen, lesen oder schlafen, es sei hier schön, nicht, Armando hätte viel Freude, daß ich da wäre, sie hätten kurz etwas Wichtiges zu besprechen. Ihre Augen glänzten wie eingemachte Zwiebeln.

Während ich wartete, durchlöcherte ich Micky Maus auf jeder Seite die Augen.

Wenn ich damit fertig war, ging ich im Zimmer auf und ab.

Aß die Süßigkeiten auf.

Das Herz klopfte in meinem Kopf.

Draußen wurde es dunkel.

Im Zimmer begann es zu schneien.
Das Sofa fror ein.
Die Wände froren ein.
Meine Hände und Füße froren ein.
Meine Augen.
Der Schnee deckte mich zu.

Die Söhne erzählten zu Hause, daß sie alleine Tennis spielten, wir seien oft gar nicht da.

Armando sagte, wir seien tatsächlich ein-, zweimal kurz weggegangen, um Kunden aus seinem Geschäft ein Päckchen zu bringen.

Wenig später tauchten alle auf dem Sportplatz auf. Ich hörte das Rufen meiner Mutter aus der Umkleidekabine.

Wo ist meine Tochter? Ich bringe mich um!

Bambi habe ich aus Versehen getötet.
Es war ein Unfall.
Mary Mistral nannte mich MÖRDERIN.
Dann lachte sie und sagte: Ach, er war ja nur ein Hund. Vergiß ihn!

Bambi hat mir vertraut, und ich habe ihn getötet.

Ich habe einen Ausschlag im Gesicht und am Hals gekriegt. Er breitet sich aus wie Feuer unter der Haut.
Ich schäme mich aufzutreten.
Alle gucken dahin, einige machen sogar Zeichen aus dem Zuschauerraum und lachen.
Meine Mutter hat mir ein Meerschweinchen vom Markt mitgebracht.
Bambi ist jetzt im Himmel und badet im Meer der Armen. Wenn wir ihn wiedersehen, wird er aus Gold sein, sagt sie.

Ich gebe Bambi aber nicht her!

Ich habe Bambi in einen Plastiksack eingepackt und lege ihn ins Eisfach. Auf dem Weg von einem Ort zum anderen liegt er in einer Kühlbox.
Ich werde Bambi nicht hergeben.
Ich habe Bambi nicht getötet!

Wenn man mir Bambi wegnimmt, werde ich schreien, bis alles auf der Welt kaputtgeht.

DAS KIND KOCHT IN DER POLENTA, WEIL
ES EINE STIMME VOLLER STEINE HAT.

Warum hat Bambi den Kopf in die Türspalte gesteckt?
Das ist verboten!
Es ist verboten, den Kopf in die Türspalte zu stecken!
Es ist verboten!
Verboten!
Wenn Gott Gott wäre, müßte er jetzt runter- oder raufkommen und mir helfen, Bambi lebendig zu machen.

Ich will, daß Bambi wieder lebendig wird!

Wenn er nicht im Eis liegt, verfault er.
Und wenn ich niemand finde, der ihn ausstopft, darf ich ihn nicht mehr auftauen.

Es war ein Unfall.
Auf der Autobahn.
Bambi steckte den Kopf aus dem Auto, als ich die Tür zuschlug.
Ich rannte blutüberströmt mit Bambi zur Raststätte und legte ihn in eine Eiskiste.
Er ist tot, sagte jemand. Beruhige dich, er ist tot!

Er kann nicht tot sein, wenn ich das Blut mit Eis stoppe, erholt er sich wieder!

Was ist passiert! schrie meine Mutter. Was ist passiert! Bitte geben Sie mir mehr Eis! Ich brauche mehr Eis!

Mein Hund rennt durch die Straßen, er ist ein Gerippe, kein Fleisch, ich kann hindurchsehen. Alle, die mein Hundegerippe sehen, dürfen mich bestrafen. Du darfst nicht weinen, sagt der Mund, sonst kriegt die Mutter Angst. Der Mund hat immer Hunger, Mund Hunger, Hunger, Mund zunähen! Puppen mag ich nicht. Meine Beine gehören einer anderen, sie füllen ein ganzes Zimmer. Ich habe ein Loch, es blutet. Das ist nicht schlimm, sagt die Schwarzhaarige, du hast in die Hose gemacht, sagt sie, ich bin deine Mutter, sagt sie. Ich stopfe mir Brot ins Loch, will nicht in die Hose bluten. DER HIMMEL SIEHT AUS WIE EINE GEPLATZTE AUGENADER. Ich will nicht, daß mich der Komiker PIPER anfaßt! Will nicht! Ich und meine Beine spielen mit ihm bei Pepita den Sketch DIE LUSTIGE WITWE, morgen aufhören mit Essen! Wenn mich PIPER in der LUSTIGEN WITWE anfaßt, fault mein Busen. Morgen aufhören mit Essen, alles schmeckt nach Plastik. So geht das nicht, sagt Pepita, hör auf zu essen, sagt sie, hör auf, wirst immer dicker, du siehst ganz anders aus als auf den Plakaten, so geht das nicht! Der Hund ist tot. Den Hund in die Schuhschachtel legen, die Schachtel in den Kühlschrank. Die Haare vom toten Hund wachsen, überwuchern den Hund, die Schachtel, den Kühlschrank, mich, das Zimmer. Ein Engel verkleidete sich als Hund, Hund geköpft, toten Engel ausstopfen. Der Engel fletscht mit den Zähnen. Mein Engel lacht Blut.

Wir müssen ein gutes Leben haben.
Ich bin dankbar. Ich freue mich, hier zu sein.
Mir geht es gut.

Bei Pepita bin ich jetzt sehr gefragt.
Ich habe vierzehn Auftritte pro Vorstellung.
In der Hauptsaison haben wir auf den großen Jahr-
märkten sechs Vorstellungen am Tag.
Ich lerne viel für später, wenn ich entdeckt werde.

Ich träume ständig von Bambi.

Er stürzt vom Balkon, klatscht auf den Boden und läuft aus.
Der Zucker heißt Bambi und verwandelt sich in meinem Mund in Schlangen.
Meine Mutter schenkt mir einen Hund. Er ist in Zeitungspapier eingewickelt. Als ich ihn auspacken will, beißt er mir den Finger ab. Der Finger sagt: Warum köpfst du mich?

Ich will nicht mehr schlafen.
Ich will mich nur beeilen.
Ich will mich immer nur beeilen.
Meine Mutter ist sehr sanft zu mir.
Das mag ich nicht. Mir ist, als müßte ich ständig ENTSCHULDIGUNG sagen.
Meine Mutter geht ein und aus in mir.
Ich sehe aus wie das Foto meiner Mutter.
Ich sehe aus ohne mich.

Meine Ausschläge wurden nicht besser.
Dann konnte ich mitten in einer Vorstellung plötzlich nicht mehr sprechen.

Pepita schickte uns nach Madrid, zur Erholung.
Werbefotos wollte ich keine machen.
Dann sollte ich wieder mit den anderen Frauen im
Hintergund tanzen.
Meine Mutter lehnte ab.

Pepita hat uns entlassen, obwohl mein Vertrag noch
nicht abgelaufen ist.

4

1

Meine Tante nahm uns bei sich auf.
Sie bezahlte uns auch den Flug.
Wir hatten kein Geld, obwohl mein Vater ja längst
nicht mehr da war, um unser ganzes Geld auszuge-
ben.

Mit dem Geld von Pepita hätte ich meiner Mutter
gerne unser Haus gekauft.

Das Glück hatte ich mir anders vorgestellt.

Frau Schnyder freute sich über meine Rückkehr.
Sie schickte mich sofort in eine Sprachschule für
Ausländer.
Meine Mutter brachte mich hin und holte mich ab.
Dort führten wir Gespräche.
Wie heißt du?
Wie heiße ich?
Wie heißt mein Nachbar?

Ich heiße so und so.

Nach neun Monaten Sprachschule schickte mich
Frau Schnyder zu einer Berufsberatung.
Dort wurde ich auf meine Allgemeinbildung ge-
prüft.
Die Berufsberater und ich saßen uns fassungslos ge-
genüber.
Mit jeder Frage, die ich nicht beantworten konnte,
wurden sie freundlicher und nachdrücklicher, als sei
ich taubstumm.
Am Ende der Sitzung wurde ich von einer Frau vor-
sichtig zu Frau Schnyder ins Nebenzimmer geführt.
Sie gab mich wie ein Paket ab.
Ich hatte mich noch nie so geschämt.

Du mußt das alles gar nicht wissen! rief meine Mutter aus. Können sie jonglieren? Hängen sie an den Haaren? Machen sie den Spagat? Wenn das so weitergeht, machen sie mir mein Kind verrückt! Wir wären besser bei Pepita geblieben!

Zwischen meiner Mutter und mir war die Luft voller Gruben.

Du wirst das schaffen, sagte Frau Schnyder.
Sie schenkte mir ein Buch:

JUGENDLEXIKON IN FARBE.

Ich riß dem Jugendlexikon in Farbe jeden Tag eine Seite aus und lernte sie auswendig.

Ich mußte dauernd die Schränke und Schubladen meiner Tante durchwühlen.

Ich hatte noch nie Schubladen von seßhaften Menschen durchsucht.

In den Schränken stapelten sich die Kleider von verstorbenen Nachbarn. Alles für Rumänien.

Bettlaken, Tücher, Waschlappen, warme Unterwäsche.

Die Wohnung war voller Plüschtiere, ganz kleinen und menschengroßen, auf dem Sofarand, auf den Nachttischen, im Bett.

Vergoldete Vasen mit Preisschild.

Teppich, noch ein Teppich, noch ein kleiner Teppich auf dem großen Teppich, noch ein Teppich.

Bestickte Deckchen auf den Armlehnen der Sessel.

Ein Elvis-Presley-Plakat an der Tür.

Elvis-Spiegelteller auf der Kommode, Plastikblumen, eine leuchtende Madonna, ein siebenarmiger Kerzenständer, eine große, aufblasbare Champagnerflasche, eine gußeiserne Frau mit Besen, das Gebiß eines wilden Tieres.

An den Wänden Jesus, Maria, das Matterhorn, ein rumänischer Reigentanz im Dorf, meine Tante vor dem Weihnachtsbaum, ich in den Armen meines Großvaters, ein Diplom für Fußpflege, eine Folie auf dem Lampenschirm mit dem Foto meiner Großmutter.

Meine Mutter und ich arbeiteten in einer Schoko-
ladenfabrik.

Der Mann meiner Mutter durfte nicht arbeiten. Er
mußte regelmäßig das Land verlassen und wieder
eine Aufenthaltsbewilligung beantragen.

Er und meine Mutter überlegten dauernd, wie wir
zu Geld kommen konnten.

Wir wollten Schokolade aus der Fabrik schmuggeln,
um sie selber zu verkaufen.

Das durften wir meiner Tante aber nicht sagen, sie
und ihr Mann hatten sich sehr verändert, um zehn
Uhr abends mußten wir in der Wohnung auf Ze-
henspitzen laufen, um die Nachbarn nicht zu stören.

Meine Mutter hatte einen Teil ihrer Zirkuskostüme
umgearbeitet und an Gogo-Girls verkauft.

Meine Pepita-Kostüme haben wir heute noch alle.

Wenn du dich erholt hast, könntest du hier überall
auftreten, sagte meine Mutter. Die Leute liegen dir
zu Füßen! Was diese Gogo-Girls können, kannst du
schon längst!

Ich will nichts anderes als zum Film, sagte ich Frau
Schnyder.
Sie machte ein besorgtes Gesicht.
Du mußt wenigstens in die Schauspielschule, sagte
sie dann.

Sonst kriegen wir kein Geld mehr von der Flücht-
lingshilfe.

Frau Schnyder meldete mich für die Aufnahme-
prüfung zur Schauspielschule an.

Meine Mutter nahm ihren Fotosack mit und erzählte in mehreren Sprachen und mit großen Armbe-
wegungen, wie begabt ich sei.

Ich fühlte mich wie bei einer Zirkusparade.

Ich spielte die Bettszene von Pepita und die lustige
Witwe. Nackt mußte ich mich aber nicht ausziehen.

Für den klassischen Bereich hatte Frau Schnyder mit
mir die Heilige Johanna eingeübt.

Vor den Szenen machten die Lehrer Übungen mit
uns.

Alle Schüler standen im Kreis, bewegten sich wie
Tiere und machten Geräusche.

Ich machte den Spagat, tanzte Flamenco und sang
ein Lied von Raffaela Carrà.

Dann mußte jeder aus einem Buch vorlesen und das
Gelesene mit eigenen Worten nacherzählen.

Mein Kopf fühlte sich wie eine Geröllhalde an.

Kaum sprach ich ein Wort aus, rutschte das ganze
Gehirn ab.

Für die Schlußbesprechung rief der Leiter jeden Schüler einzeln ins Zimmer.

Die Lehrer saßen hinter einem Tisch, sie waren sehr groß, ihre Köpfe reichten bis zur Decke.

Der Mund des Leiters öffnete sich. Daraus kamen Wörter.

Dann hörte ich noch: Es tut uns leid, aber wir sind hier nicht beim Zirkus.

2

Bevor ich meinen Vater zum letzten Mal sah, drehte er einen Film, in dem er Gott spielte.
Meine Mutter spielte die Großmutter Gottes und ich seinen Schutzengel.

Ich trage mein weißes Spitzenkleid, weiße Kniesokken und schwarze Lackschuhe. Die Fingernägel sind rosa und meine Wangen rot.

DIE ENGEL HABEN IMMER ROTE WANGEN, SAGT MEIN VATER, WEIL SIE VIEL AN DER FRISCHEN LUFT SIND.

Als Gott trägt mein Vater seinen alten, schwarzen Frack.
Meine Mutter hat sich ein Tuch umgebunden wie die alten Frauen in Rumänien auf dem Land und ihren geblümten Morgenmantel aus Vorhangstoff angezogen.

Am Anfang des Film sieht man meinen Vater als Zirkusdirektor in einem roten Frack.

Im Garten der Großmutter, die auf dem Land wohnt, sagt er, gibt es einen Baum, unter dem es immer regnet.

Dann sieht man meinen Vater als Gott unter dem Baum sitzen.

GOTT IST TRAURIG.
ER SPIELT EIN UNGARISCHES LIED AUF DER GEIGE.

Die Großmutter steht am Fenster und winkt, sie hat für Gott Polenta gekocht.

Das Lied auf der Geige ist so traurig, daß die Wiesen, Blumen und Bäume im Garten auch traurig werden.

Der Zirkusdirektor erscheint wieder und sagt, daß der Gartenzaun, das Fenster, die Tür und auch die Polenta zu weinen beginnen.

Die Großmutter schüttelt den Kopf und sagt einen Satz, den man nicht hört, weil sie im Haus ist.

Dann rennt Boxi über die Wiese.

Sie hat rosa Engelsflügel in der Schnauze und macht Männchen vor einem Gebüsch, hinter dem ich hervorkomme.

Ich ziehe die Flügel an und hüpfe mit Boxi zum Regenbaum.

Der Regen fällt aus einer Spritzkanne.

Der Schutzengel und Boxi tanzen zum traurigen Lied Gottes. Aber Gott will sich darüber nicht freuen.

Der Zirkusdirektor erscheint und sagt: Aus Liebe zu den armen Menschen ißt Gott Polenta. Er ist selber Ausländer, der von Land zu Land zieht. Er ist traurig, weil er wieder eine große Reise vor sich hat.

Die Großmutter weint.

Boxi winselt, zieht ihren Schwanz ein und fächert mit den Ohren.

Der Schutzengel hüpft weiter.

SCHUTZENGEL SIND NIE TRAURIG, SAGT DER ZIRKUSDIREKTOR, SIE SIND DAFÜR DA, FREUDE ZU VERBREITEN.

In der nächsten Szene sitzen Gott, die Großmutter und der Schutzengel am Tisch und essen zum Abschied Polenta.

Zum Schluß steht die Großmutter an der Tür und winkt.

THE END